Beth mae pobl yn ei ddweud am
BYDDI DI'N IAWN

Pobl ifanc

Rwy wedi cael amser eithaf anodd gyda galar a ddim wir wedi agor allan,
ond mae darllen Byddi Di'n Iawn wedi fy helpu i weld safbwyntiau amrywiol
a ffyrdd gwahanol o fynd o'i chwmpas hi. Llyfr sy'n bendant yn tanio'r
emosiynau ac yn gwneud i mi feddwl yn ôl i'r amser a dreuliais gyda fy mam.
Roeddwn i wir yn gwerthfawrogi bod y llyfr yn sôn am y dyfodol — rwy'n
meddwl y bydd yn help mawr i mi.'
Sam

'Byddai wedi bod o gymorth garw cael llyfr fel hyn pan fu fy nhad farw. Mae'n
llyfr GWYCH! Roeddwn i wrth fy modd. Wnes i chwerthin, wnes i grio, ac roedd
rhannau ohono'n taro deuddeg go iawn. Llyfr mor bwysig ar gyfer pob oed.'
Zoe

'Mae Byddi Di'n Iawn wir yn crynhoi cymaint o'r teimladau sy'n effeithio
arnom yn ystod galar ac yn eu hesbonio mewn ffordd mor syml. Rwy'n
meddwl ei bod hi mor bwysig cael rhywun yn cadarnhau nad yw'r hyn rwyt ti'n
ei deimlo yn "anghywir" neu'n "od" neu'n "wan" ac mae'r llyfr hwn yn gwneud
hynny'n ardderchog.'
Emily

Rhieni

'Roeddwn i'n caru'r straeon; roedd fel pe bai Julie yn darllen i mi yn ogystal
â'm tri phlentyn. Mae gan yr awdur brofiad heb ei ail o dywys teuluoedd drwy
alar, ac mae'r llyfr wedi'i ·
arlliw o fod yn nawddogl·
straeon ac ymarferion i ·
Anthony, tad

'Fel mam i dri o blant a ymatebodd mewn ffyrdd mor wahanol, roeddwn i wrth fy modd â'r syniad o'r 'cyhyrau galar' yn eu cryfhau ar ôl marwolaeth eu tad. Mae'r llyfr yn teimlo fel trafodaeth naturiol.'
Kath, mam

'Roeddwn i wrth fy modd â'r llyfr hwn, ac rwy'n siŵr y bydd yn llyfr hunangymorth gwych i'r grŵp oedran hwn am flynyddoedd lawer i ddod. Rwy'n arbennig o hoff o'r astudiaethau achos — grŵp mor amrywiol o bobl â straeon profedigaeth gwahanol iawn i'w gilydd, ond pob un â'r un llosgfynydd i'w goncro, yn union fel bywyd go iawn.'
Sue, mam

'Roedden ni wrth ein bodd â'r llyfr hwn — mae'n gymaint o drueni na fyddem wedi gallu'i ddarllen ychydig flynyddoedd yn ôl pan fu farw ein mab. Mae wedi rhoi hyder a dealltwriaeth o'r newydd i ni siarad yn agored â'n plant am eu galar.'
Bill a Claire, rhieni

Oedolion sydd wedi dioddef profedigaeth yn ystod plentyndod

'Bu farw fy mam pan oeddwn i'n chwech oed ac yn y llyfr hwn mae popeth roedd ei angen arna' i ar y pryd. Mae Byddi Di'n Iawn yn gyfeiriadur cymorth positif a gonest i blant a'r oedolion sydd agosaf atyn nhw pan fydd y gwaetha'n digwydd. Trueni na fyddai fy nhad wedi darllen y llyfr hwn pan fu farw fy mam.'
David

'Ysgrifennu gwych yn llawn didwylledd dwys, sy'n siarad â phlant sy'n ceisio ymdopi â cholled mewn ffordd na ellir ei ffugio. Mae plant weithiau'n teimlo na ddylen nhw sôn am y person sydd wedi marw oherwydd gallai hynny greu gofid i'r bobl maen nhw'n eu caru ac yn dibynnu arnyn nhw. Gwell bod yn dawel a pheidio â chreu trafferth. Rwy'n darllen y llyfr ddegawdau lawer ar ôl i fy mam farw ac rwy'n dal i'w drysori a'i weld o fudd.'
John

'Dyma lyfr hudolus, llyfr o'r galon. Llyncais bob gair. Trueni na fyddai gofal, profiad a doethineb Julie ar gael i ddarllenwyr yn ôl yn yr 1970au — rwy'n credu y byddai fy mywyd wedi gallu bod yn wahanol iawn!'
Sarah

Gweithwyr proffesiynol

'Rwy'n meddwl y bydd [y llyfr hwn] yn trawsnewid bywydau a dylai fod ar bob silff lyfrau ym mhob ystafell ddosbarth. Cefais fy llorio'n llwyr â'r trafodaethau gonest, agored, yn ogystal â sut mae'n gwneud pynciau a chysyniadau anodd yn hawdd eu deall i blentyn 8–12 oed cyffredin (er y gallai pobl ifanc yn eu harddegau ddarllen y llyfr yr un mor hawdd). Y llyfr cyntaf i droi ato ar gyfer unrhyw un ifanc sy'n delio â phrofedigaeth.'
Alison Hopton – Dirprwy Bennaeth

'Mae'n WYCH! Fe fydd pobl ifanc yn sicr yn gwybod bod Julie yn bartner dilys sy'n gwbl deilwng o'u hymddiriedaeth.'
David Trickey – Seicolegydd Clinigol ac Arbenigwr Trawma

'I'r mwy na'r un mewn 10 o blant sy'n cael profedigaeth bob blwyddyn; i'r nifer fawr o blant sy'n dweud eu bod nhw eisiau helpu ffrind sy'n galaru ond ddim yn gwybod sut; ac i'r oedolion hynny sy'n cadw'n dawel am nad ydyn nhw'n gallu dod o hyd i'r geiriau ... mae Julie Stokes wedi camu i'r adwy. Mae llyfr Julie yn gafael yn llaw pawb sydd dan gysgod galar ac yn helpu i'w llywio ar eu taith i allu dioddef y galar yn haws.'
Jackie Brock – Prif Weithredwr, Children in Scotland

'Fel therapydd chwarae sy'n cefnogi plant a phobl ifanc drwy sawl ffurf ar alar, rwy'n ddiolchgar am yr adnodd hwn. Rwy'n gallu ei argymell i deuluoedd a'i gymhwyso'n uniongyrchol yn fy ngwaith. Mae Byddi Di'n Iawn yn cyfleu cymhlethdod galar yn gelfydd ac ar yr un pryd yn darparu adnoddau creadigol a sgiliau ymdopi.'
Grace Deegan – Therapydd chwarae

'Llyfr gwych - mae arddull Julie mor dyner ond sylwgar, ac mae'r llyfr wedi'i strwythuro'n dda iawn, mae'n ddoeth ac yn bositif - cyfraniad gwych arall at ofal mewn profedigaeth.'
Dr Marilyn Relf – Cadeirydd y Gynghrair Profedigaeth Genedlaethol

'Mae'r llyfr hwn fel dod adre. Fe fydd yn adnodd amhrisiadwy i deuluoedd, pobl ifanc ac ymarferwyr.'
Anita Hicks a Karen Codd – Arweinwyr Clinigol a Chyd-Sylfaenwyr elusen profedigaeth plant Sandy Bear, Cymru

BYDDI di'n iAWN

JULIE STOKES

DARLUNIAU GAN LAURÈNE BOGLIO

RILY

Cyhoeddwyd gan Rily Publications Ltd. 2023
Blwch Post 257, Caerffili, CF83 9FL
Hawlfraint yr addasiad
© Rily Publications Ltd 2023
Addasiad: Testun Cyf

www.rily.co.uk

Cyhoeddwyd gyntaf yn y DU o dan y teitl *You Will Be Okay* gan Wren & Rook,
argraffnod Hachette Children's Group
Rhan o Hodder & Stoughton
Carmelite House
50 Victoria Embankment
Llundain EC4Y 0DZ

Cyfarwyddwr Golygyddol: Laura Horsley
Uwch Olygydd: Sadie Smith
Cyfarwyddwr Celf: Laura Hambleton
Dylunydd: Kathryn Slack

ISBN 978-1-80416-332-0

Mae'r cyhoeddwr yn cydnabod cefnogaeth ariannol Cyngor Llyfrau Cymru.

Argraffwyd ym Mhrydain gan Ashford

BYDDi di'n iAWN

Cael nerth, cynnal gobaith, a mynd i'r afael â galar

I Frederick George Stokes, fy nhaid.

Fy mhrofiad cyntaf o gael fy nychryn
a'm llethu gan alar.

Roedden ni'n cerdded, yn siarad
ac yn rhannu straeon.

Roeddwn i'n ymddiried ynddo'n llwyr.
Bryd hynny, nawr ac am byth.

J.S.

CYNNWYS

Pan mae RHYWUN rwyt ti'n ei adnabod yn marw, mae'n SIOC go iawn, yn tydi?

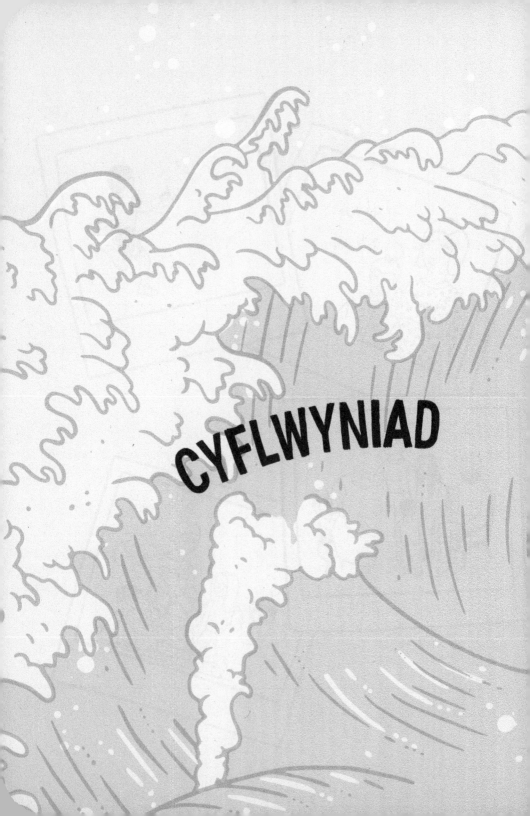

CYFLWYNIAD

METHU DOD O HYD I'R GEIRIAU

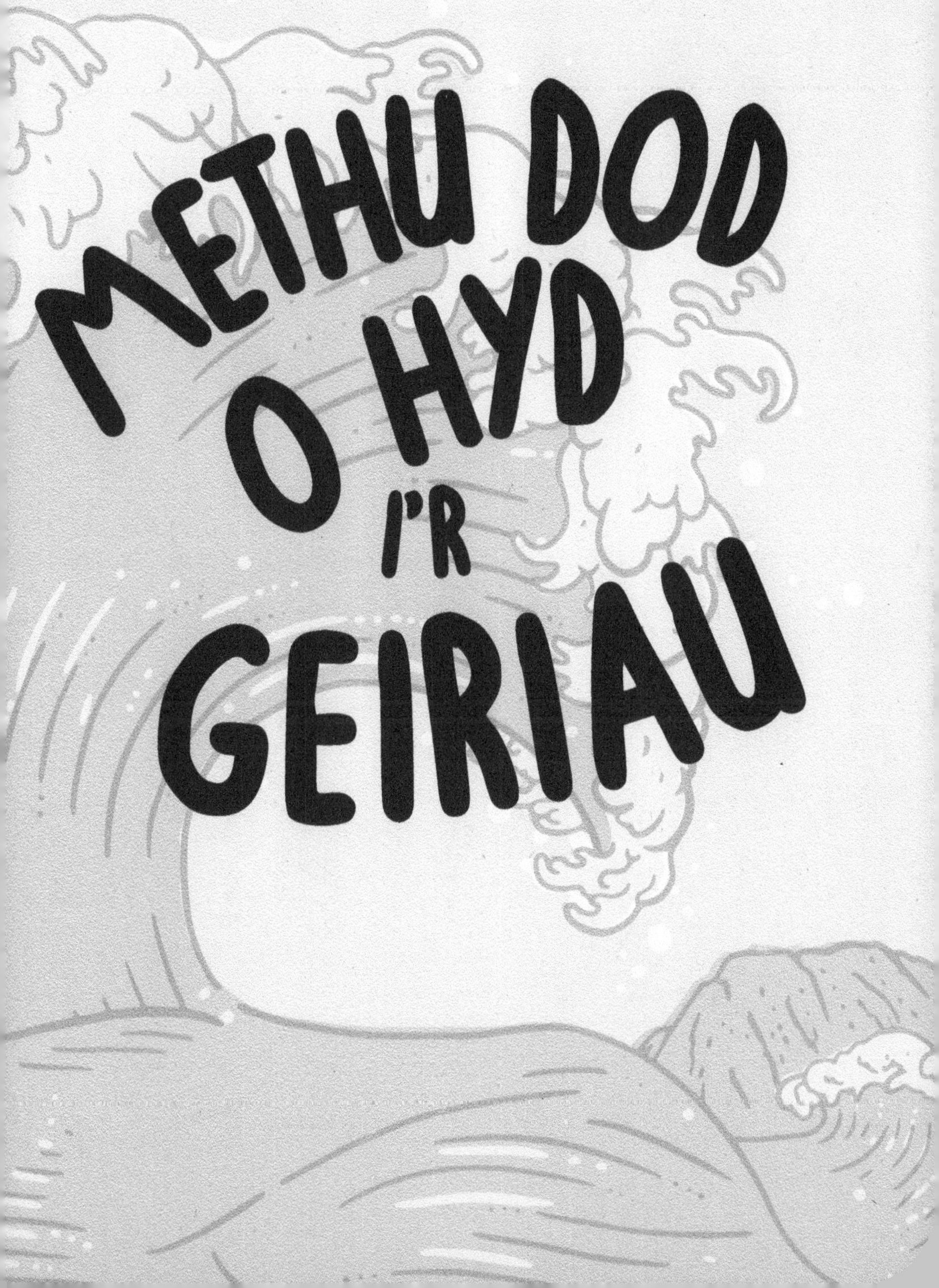

Tybed sut rwyt ti'n teimlo'r eiliad hon wrth i ti ddechrau darllen y llyfr hwn, ar yr union adeg yma yn dy fywyd. Llyfr na wnest ti erioed ddychmygu ei ddarllen am berson oedd yn bwysig iawn yn dy fywyd. A sut mae dy fywyd di ar hyn o bryd? Wyt ti weithiau'n teimlo braidd yn drist, yn flin, wedi drysu, efallai ychydig yn unig neu'n euog hyd yn oed? Efallai dy fod ti'n dangos llawer o'r teimladau hynny. Neu efallai dy fod ti'n ceisio eu cuddio ...

Mae rhywun yn dy fywyd wedi marw, a dydy o ddim yn dod yn ôl.

Dyna beth  i'w ddweud.

Does ryfedd fod rhywbeth mor fawr yn dod ag emosiynau mawr iawn yn ei sgil. Yn aml iawn, does gennym ni mo'r geiriau i ddisgrifio'r cyfan. Mae mynd i'r afael â galar yn gallu bod yn anodd, fel cadw cwch i hwylio ymlaen mewn dyfroedd stormus. Mae rhywbeth sy'n teimlo mor annheg wedi digwydd, ac mae dy fywyd wedi troi wyneb i waered a thu chwith allan.

Dychmyga dy hun yn y cwch bach sydd ar y clawr blaen yn ceisio dod o hyd i ffordd drwy storm. Dim ond ti fydd yn gallu dod o hyd i'r ffordd. Fe fydd y llyfr hwn yn cynnig ambell syniad i dy helpu i dywys dy hun tuag at ddyfroedd tawelach. Mae'n lle i ti werthfawrogi atgofion arbennig am y person sydd wedi marw, ac yn rhoi amser i ti ei gofio ochr yn ochr ag ailadeiladu dy fywyd hebddo. Mae'n llawn adnoddau ac awgrymiadau diddorol ar gyfer dod o hyd i dy gryfder mewnol, aros yn obeithiol ac edrych tua'r dyfodol. Mae hefyd yn ofod hynod ddiogel i ti allu archwilio, mynegi a chyfathrebu'n union yr hyn rwyt ti'n ei feddwl a sut rwyt ti'n teimlo. **Does dim angen cuddio dim byd yma.**

Mae'r dyfodol yn gallu ymddangos yn bell i ffwrdd, felly creda fi pan fydda i'n dweud:

✳ Fyddi di ddim bob amser yn teimlo galar fel lwmp caled yn dy wddf sy'n dy atal rhag dod o hyd i eiriau neu'n gwneud i ti deimlo'n wahanol.

✳ Fyddi di ddim bob amser yn teimlo'n drist neu'n ddig pan fydd pethau da yn digwydd (oherwydd nad yw'r person rwyt ti wedi'i golli yma i'w gweld a'u rhannu â ti).

✳ Byddi di'n magu sgiliau a nerth wrth dyfu i fyny gyda galar, a bydd y meddylfryd hwn yn dy helpu gydag agweddau eraill ar dy fywyd.

✳ Byddi di'n derbyn na wnest ti unrhyw beth i achosi'r farwolaeth ac yn araf bach byddi di'n dechrau teimlo'n hapusach.

✳ Byddi di'n gweld dy fod ti'n gallu cael hwyl unwaith eto, ac y bydd hynny'n digwydd am gyfnodau hirach. Dydy hynny ddim yn golygu nad wyt ti'n caru'r person sydd wedi marw gymaint ag yr oeddet ti.

Felly wyt ti'n barod? <u>Amdani!</u>

Mynd i'r afael â galar

Beth am ddechrau gyda'r peth pwysig. Pwy sydd wedi marw?

Ai dy fam, dy dad, dy frawd neu dy chwaer? Ffrind, efallai? Taid neu nain, tad-cu neu fam-gu? Neu rywun arall a oedd yn bwysig iawn i ti, fel athro neu ffrind i'r teulu?

Mae'n bosib dy fod ti'n eu caru'n fawr, neu'n eu caru weithiau, neu efallai nad oeddet ti'n eu caru o gwbl. Efallai dy fod ti'n eu caru nhw rhywle yn dy isymwybod, ond nad oeddet ti bob amser yn hoffi'r ffordd roedden nhw'n ymddwyn tuag atat ti neu bobl eraill. Beth bynnag oedd eich perthynas, roedden nhw'n dal i fod yn bwysig, a byddan nhw wastad yn rhan bwysig o stori dy fywyd a phwy wyt ti. Felly, mae'n naturiol gweld eu colli nhw.

Mae'r person wedi marw ac rwyt ti'n teimlo rhywbeth o'r enw **galar**. Beth mae galar yn ei olygu? Wel, gwreiddyn y gair Saesneg 'grief' yw'r gair Lladin *gravare*, sy'n golygu baich **trwm**. Felly, mae galar yn aml yn arwain at deimladau dwys, yn enwedig tristwch mawr. Mae'r emosiynau hyn hefyd yn gallu teimlo'n boenus yn gorfforol — weithiau, mae'n gallu teimlo fel pwysau mawr ar dy frest a rhannau eraill o dy gorff. Yn union fel tonnau yn y môr, mae teimladau'n mynd a dod. Ambell ddiwrnod, mae tonnau'r emosiynau yn dawel. Dro arall, maen nhw'n anferth ac yn llethol.

Mae'n debycach i lwybr hir diddiwedd, yn enwedig yn y dyddiau cynnar. Mae'n mynd yn haws i gerdded ymlaen, ond eto ar y dechrau mae llawer o ...

droi a throelli, llwybrau sy'n mynd i unman, rhannau serth, rhwystrau ar y ffordd ac ambell ddarn o dir corsiog. . . .

Byddi di'n teimlo'n iawn ambell ddiwrnod, ond dro arall, bydd popeth yn teimlo'n ormod, a bydd yn anodd dod o hyd i'r nerth i frwydro — rwyt ti'n wynebu storm sy'n rhuo, **storm o alar**. Ond yn union fel ym myd natur, mae hyd yn oed y stormydd gwaethaf yn pasio. Mae rhai o'r ymarferion yn y llyfr hwn yn debyg i roi rhwyf neu wregys achub i ti, a fydd yn dy helpu i gyrraedd dyfroedd tawelach.

Mae'n rhaid i fi fod yn onest gyda ti, mae mynd i'r afael â'r holl feddyliau hyn a'r teimladau dwys yn mynd i gymryd cryn amser. Mae pwysau galar yn gallu bod yn arbennig o drwm yn ystod y dyddiau, yr wythnosau a'r misoedd cyntaf ar ôl i rywun farw. Mae'n anodd rhagweld ei effaith hefyd, ac er ei fod yn tawelu'n raddol ac yn dod yn fwy cyfarwydd, dydy o byth yn diflannu'n llwyr. Ar y dechrau, yn aml, mae yna lawer o ddryswch, dicter, tristwch a dagrau. Fe ddywedodd rhywun wrtha i unwaith nad wyt ti byth wir **yn goresgyn** galar, ond dy fod ti'n gallu dod i **arfer ag o**.

Mae'n bosib dy fod ti'n pendroni pwy ydw i a sut rwy'n gwybod am alar. Wel, ers tro byd, rwy wedi bod yn cefnogi llawer o blant a phobl ifanc, yn union fel ti, sydd wedi colli perthynas agos neu ffrind. Rwy hefyd wedi gweithio gyda'u rhieni. Ar y ffordd, rydyn ni wedi dod o hyd i bethau sydd wedi bod o help mawr wrth lywio drwy alar, a phethau sydd ddim yn gweithio cystal hefyd. Rwy wedi gwrando'n astud ar brofiadau gwahanol iawn, a bydda i'n rhannu rhai straeon oherwydd bod galar yn gallu teimlo'n brofiad unig iawn. Fe fydd yr hyn sydd wedi digwydd yn dy newid di, ond ...

BYDDI DI'N IAWN.

Gobeithio y byddi di'n teimlo bod rhywun yn dy ddeall, bod cefnogaeth ar gael i ti a dy fod ti'n gallu adnabod meddyliau a theimladau galar. Yn raddol bach, byddi di'n gallu derbyn bod y farwolaeth yn real a dechrau siarad am y digwyddiad yn fwy hyderus ag eraill. Yn fwy na dim, fe weli di dy fod ti'n dal i allu cael hwyl, mwynhau dy fywyd a dechrau teimlo'n gyffrous am dy ddyfodol eto.

Does dim atebion syml gan fod teulu pawb mor unigryw, **rwyt ti'n unigryw**, ond gyda'n gilydd byddwn ni'n edrych ar y ffyrdd clyfar o ddal gafael ar atgofion pleserus a'u cadw nhw'n agos. Fe fyddwn ni hefyd yn darganfod ffyrdd o reoli'r atgofion mwy poenus.

Fe fydda i'n dy gyflwyno di i saith **'cyhyr' galar** pwysig y galli di ddechrau eu cryfhau a'u hystwytho, fel bod gennyt ti'r nerth i weld ffordd tuag at dir mwy cadarn pan fyddi di'n teimlo ar goll neu wedi dy lethu. Fe fyddwn ni'n ystyried sut mae dy fywyd di wedi newid, sut galli di ymdopi â'r newidiadau hyn a sut i addasu i unrhyw ansicrwydd rwyt ti'n ei deimlo. Fe fyddwn ni hefyd yn edrych ar sut i drin y cwestiynau lletchwith ac annifyr hynny sy'n cael eu gofyn i ti ar hyd y daith. Fe fyddwn ni hefyd yn cyfarfod â llawer o bobl ifanc ac oedolion a gollodd rywun pwysig iddyn nhw pan oedden nhw'n ifanc. Mae rhai o'r bobl hynny yn eithaf adnabyddus ac mae'n ddiddorol darganfod rhai o'r pethau anhygoel maen nhw wedi'u cyflawni yn ystod eu bywydau. Gobeithio y bydd y straeon hyn yn dy ysbrydoli, dy gynnal a dy atgoffa o dy gryfder wrth i ti dyfu i fyny gyda galar.

Sgyrsiau dewr

Rwyt ti nawr yn rhan o grŵp o bobl sy'n gwybod sut beth yw cael profiad o farwolaeth wrth dyfu i fyny. Mae'n bosib bod y person wedi marw'n sydyn neu ei fod wedi bod yn sâl am dipyn o amser. Fe allai fod yn hunanladdiad neu efallai'n llofruddiaeth. Os oeddet ti'n disgwyl y farwolaeth oherwydd dy fod ti'n gwybod bod rhywun yn sâl neu os digwyddodd popeth yn sydyn, mae pawb yn dweud bod y cyfan yn teimlo fel **sioc enfawr** a doedden nhw erioed wedi meddwl y byddai'r fath beth yn digwydd iddyn nhw ar adeg mor gynnar yn eu bywyd.

Byddi di'n synnu pa mor aml y bydd dy berthnasau, athrawon neu oedolion eraill yn dy fywyd yn newid y pwnc er mwyn osgoi siarad am yr hyn sydd wedi digwydd. Mae'r cyfan yn gallu bod yn eithaf dryslyd. Mae'r rhan fwyaf o oedolion yn aml yn ei chael hi'n anodd siarad am farwolaeth hefyd, yn enwedig gyda phobl iau maen nhw eisiau eu hamddiffyn. Mae hyd yn oed rhai o dy ffrindiau agosaf yn teimlo braidd yn rhyfedd am y peth — efallai eu bod nhw'n poeni y byddan nhw'n dweud y peth anghywir, ac felly'n osgoi dweud dim? Mae'n bosib y bydd yn gwneud iddyn nhw deimlo'n lletchwith neu'n rhy drist. Weithiau, byddi di hyd yn oed yn newid y pwnc, er mwyn cau y peth allan ac esgus nad yw wedi digwydd. Rwyt ti eisiau i bopeth fod yn normal eto.

Ond yn y llyfr hwn, er gwaethaf popeth, rydyn ni'n mynd i drafod **sgyrsiau dewr**. Ar ôl gêm, mae chwaraewyr rygbi ar y lefel uchaf yn

24

siarad yn agored am y pethau sy'n wirioneddol bwysig. Wn i ddim os wyt ti'n gwylio neu'n chwarae rygbi, ond mae tîm rygbi o'r radd flaenaf yn datblygu lefelau uchel iawn o **ymddiriedaeth** ymysg ei gilydd. Roeddwn i wastad yn meddwl mor anhygoel oedd gwylio eu cyflymder, eu cryfder a'u hyder — mae bod yn rhan o dîm o'r fath yn wych, rwy'n siŵr. Er mwyn bod yn debyg iddyn nhw, bydd yn rhaid i ti ddysgu sut i fod yn agored a siarad yn rhydd am dy deimladau â phobl rwyt ti'n ymddiried ynddyn nhw. Bydd angen i ti gael dy sgyrsiau dewr dy hun.

Rwy eisiau i'r llyfr hwn gynnig cyfle i ti wneud hynny — siarad yn ddewr am y pethau sy'n wirioneddol bwysig i ti. Mae'n ddigon posib y bydd rhai o'r sgyrsiau hyn yn arwain at ddagrau, a sgyrsiau eraill yn llyncu dy egni ac yn gwneud i ti deimlo ychydig bach ar goll; fel y chwaraewyr rygbi, mae'n bosib y bydd yna dynnu coes, dagrau o lawenydd a llond bol o chwerthin.

Mae'n bosib y byddi di eisiau darllen y llyfr hwn ar dy ben dy hun neu yng nghwmni rhywun rwyt ti'n ymddiried ynddo a fydd yn helpu gyda rhai o'r gweithgareddau. Os felly, rho wahoddiad iddo ymuno â ti. Y person brynodd y llyfr hwn i ti, efallai? Oherwydd ei fod yn **poeni** amdanat ti.

Mae'r straeon gan blant sydd wedi eu cynnwys yn y llyfr hwn yn seiliedig ar brofiadau gwirioneddol pobl go iawn, ond mae enwau a manylion wedi'u newid er mwyn diogelu eu preifatrwydd.

Dy focs atgofion

Bydd cymaint o bethau y byddi di eisiau eu trysori ar hyd y daith, felly byddi di angen rhywle i gadw'r holl wrthrychau a'r atgofion arbennig yn ddiogel. Y cam cyntaf yw dod o hyd i **focs cryf**. Byddwn ni eisiau ei ddefnyddio am amser **hir**. Hefyd, **pad ysgrifennu** da a **phensil** neu **feiro** i'w cadw yn y bocs atgofion ar gyfer unrhyw ymarferion sydd yn ddefnyddiol i ti. Mae'n bosib dy fod ti hefyd eisiau creu **rhan ddigidol** i'r bocs atgofion — ffordd wych o storio nodiadau, recordiadau llais, fideos a lluniau.

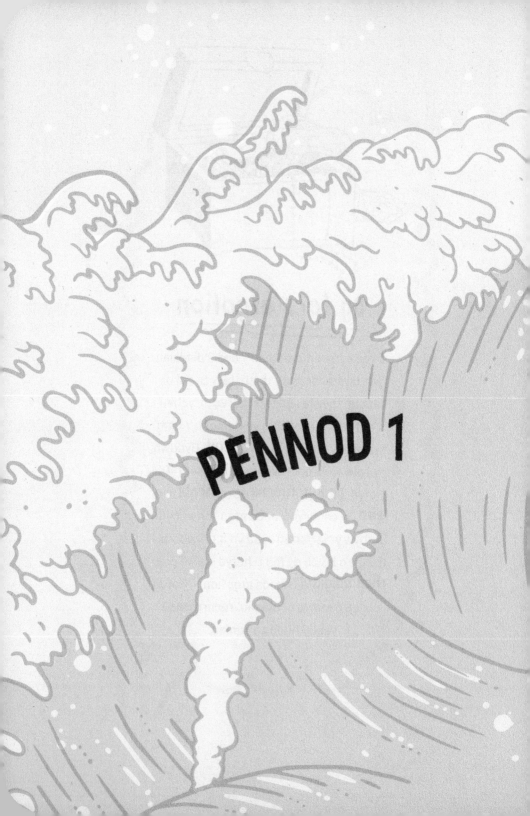

PENNOD 1

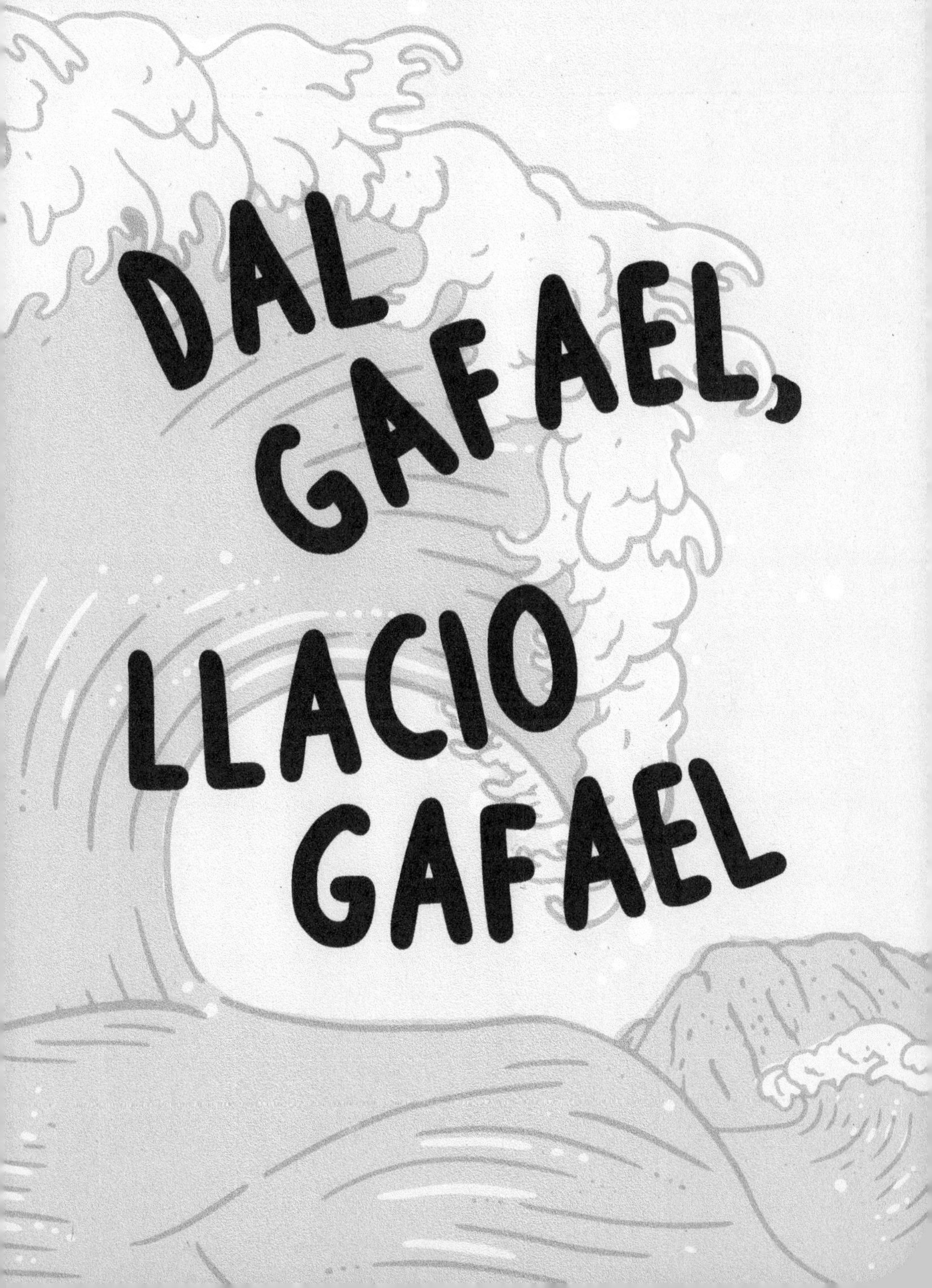

DAL GAFAEL, LLACIO GAFAEL

Mae delio â'r gwahanol emosiynau sy'n codi i'r wyneb pan fyddi di'n galaru yn gallu sugno dy egni, ac mae ceisio deall sut i fyw dy fywyd wedi i rywun pwysig fynd yn gallu bod yn heriol iawn. Mae **dal gafael** ar y person sydd wedi marw a **llacio gafael** arno ar yr un pryd fel dy fod ti'n gallu ailadeiladu dy fywyd ychydig bach, fel cymryd rhan mewn cystadleuaeth tynnu rhaff yn dy erbyn di dy hun. Mae'n debyg bod pobl eraill o dy gwmpas, sy'n rhan o dy deulu, yn teimlo pethau i'r byw hefyd.

Does dim rhyfedd bod y cyfan yn ein blino!

Yn y bennod hon, rwy eisiau dangos i ti pa mor bwysig yw gallu symud yn hawdd o'r naill ochr a'r llall i alar — weithiau, byddi di eisiau treulio amser gyda dy golled er mwyn meddwl am y person sydd wedi marw. Dro arall, byddi di'n teimlo'n barod i fynd i'r ochr arall — gan eisio addasu'n raddol bach i fywyd hebddo. Fe fyddwn ni felly'n gweld sut mae'r ddwy ochr yn gallu bod yn rhan o dy fywyd — fyddi di byth yn anghofio ac fe weli di ffyrdd **o symud ymlaen**. Yn gyntaf, rwy am aros ar yr ochr i alar lle rydyn ni'n meddwl ychydig yn fwy dwys am y person sydd wedi marw. Dyma'r ochr emosiynol lle mae teimladau fel arfer yn fregus.

Dal gafael

Pan wyt ti'n galaru, mae'n gallu teimlo nad oes gennyt reolaeth ar yr hyn sy'n digwydd. Efallai y byddi di'n beichio crio a thithau ddim yn disgwyl i ddagrau ddod. Neu efallai y byddi di'n colli dy dymer yn sydyn oherwydd rhywbeth bach a di-nod sydd â dim i'w wneud â'r person sydd wedi marw. Er enghraifft, mynd i'r gegin pan wyt ti ar ras cyn mynd i'r ysgol a gweld nad oes grawnfwyd ar ôl. Rwyt ti'n sgrechian 'Pwy wnaeth fwyta'r creision ŷd i gyd?!!' Rwyt ti'n cau'r drws yn glep, yn teimlo'n wirion ac yn ei chael hi'n anodd ymddiheuro oherwydd bod galar yn dy rwystro di, waeth a wyt ti'n sylweddoli hynny ai peidio. Rywsut, mae'n haws gwylltio am greision ŷd na'r ffaith bod y person sydd wedi marw ddim yma bellach. Rwyt ti'n gwybod sut mae hi. **Does dim byd yr un fath**, ond eto mae bywyd yn dal i fynd yn ei flaen. Efallai y byddi di'n dechrau sylwi ar fywydau pobl eraill mewn ffordd wahanol. *'Pam mae hi'n cwyno am ei mam byth a hefyd? Dydy hi ddim yn sylweddoli pa mor lwcus yw hi i gael mam?!'*

Does ryfedd bod y demtasiwn yno weithiau i guddio dy holl emosiynau a pheidio â siarad amdanyn nhw byth. Y drafferth gyda hynny yw bod y galar yn cael ei ddal y tu mewn i ti, ac yn anffodus, dydy o ddim yn mynd i ffwrdd. Fe wnaeth merch rwy'n ei hadnabod, Zara, ddisgrifio galar fel teimlo bod ganddi

atal cyfan yn sownd yn ei gwddf, a oedd yn golygu nad oedd hi'n gallu siarad am farwolaeth ei thad. Yn y llyfr hwn, byddwn ni'n dy helpu i ddod o hyd i ffyrdd da, iach (a hyd yn oed hwyliog) i gydnabod dy alar a symud ymlaen i ailadeiladu dy fywyd. Fe wnaeth Zara ymuno â grŵp lle cafodd gyfarfod ag eraill a oedd yn ei deall yn llwyr oherwydd eu bod nhw wedi bod drwy'r un peth, a bu'n help mawr iddi. Mae hi bellach yn 23 oed, ac mae'n gallu siarad am ei thad â phobl mae hi'n ymddiried ynddyn nhw pryd bynnag y bydd hi'n dewis gwneud hynny.

Fe fues i hefyd yn gweithio gyda bachgen o'r enw Jack. Bu farw ei dad yntau o drawiad ar y galon pan oedd Jack yn 13 oed, a dywedodd Jack, **'Mae'n rhaid i ti ei deimlo er mwyn gwella.'** Cyfaddefodd Jack hefyd ei fod yntau, ar y dechrau, yn ei chael hi'n anodd gwneud hyn. Mae meddwl am y person a fu farw a sut y bu farw yn gam cyntaf i helpu gyda'r gwella hwn. Mae meddwl sut daeth Jack a Zara o hyd i'w llais a'u hyder yn gwneud i mi wenu.

Mae'n rhaid i ti EI DEIMLO er mwyn GWELLA.

Straeon wrth y tân

Ar rai anturiaethau awyr agored, wrth i'r sêr a'r lleuad oleuo'r awyr dywyll, bydd pobl yn aml yn cynnau tân. Fel arfer, byddan nhw'n swatio dan flancedi, yn ymlacio, yn teimlo'n ddiogel ac yn dechrau rhannu straeon. Wrth syllu i mewn i'r tân ac i fyny at y sêr, peth naturiol yw rhannu **straeon** am ein teulu, ein cyndeidiau, pobl a oedd yn bwysig wrth siapio'n bywydau mewn rhyw ffordd.

Gad i ni ddechrau **sgwrs wrth y tân** ddychmygol. Gallai hyn dy helpu i ddal gafael ar ambell ffaith bwysig am y person sydd wedi marw. Fel llawer o straeon pwysig, mae'n debyg bod rhai rhannau yn rhai hwyliog ac yn hawdd eu hadrodd a rhai rhannau sy'n anoddach ac yn fwy poenus. Er mwyn rhoi help llaw i ti ddechrau arni, rwy wedi awgrymu rhai cwestiynau (ar y ddwy dudalen nesaf), ond paid â chael dy gyfyngu ganddyn nhw — dy berthynas di yw hi, ac rwyt ti'n adnabod dy unigolyn di yn well na neb.

Estynna am dy lyfr nodiadau arbennig — rydyn ni'n mynd i edrych ar rai ffeithiau pwysig. Byddi di eisiau cadw'r wybodaeth hon yn ddiogel yn dy focs atgofion.

Paid â brysio. Efallai y byddet ti'n hoffi cael ambell lun o dy flaen wrth i ti feddwl amdano. Mae'n bosib gofyn i aelodau eraill o'r teulu neu ffrindiau dy helpu gyda rhai o'r atebion. Bydd hyn yn arbennig o ddefnyddiol os oeddet ti'n ifanc iawn pan fu'r person farw. (A does dim ots os nad wyt ti'n gallu ateb yr holl gwestiynau.) Mae meddwl am sut y bu farw a sut gwnest ti glywed yn gallu dod â **theimladau cryf** i'r wyneb, felly bydda'n garedig wrthyt ti dy hun a chofia gymryd seibiant pan fydd angen un arnat ti.

Dyma rai cwestiynau a allai fod yn
ddefnyddiol i ti feddwl amdanyn nhw . . .

Sut olwg oedd arnyn nhw?
Pa ddillad roedden nhw'n
hoffi eu gwisgo?

Beth roedden nhw'n
ei wneud yn dda?

Oedd ganddyn nhw hoff
lyfr, ffilm neu ddarn o
gerddoriaeth? Beth roedden
nhw'n ei wylio ar y teledu?

Oedd unrhyw beth
yn eu gwneud yn
rhwystredig neu'n
flin?

Pa dri gair byddet
ti'n eu defnyddio i'w
disgrifio ar eu GORAU?

Wyt ti'n gwybod eu dyddiad
geni? Ble cawson nhw eu
geni? Beth rwyt ti'n ei wybod
am eu teulu? Oedd ganddyn
nhw frodyr neu chwiorydd?

Beth fydden
nhw'n ei ddewis
fel pryd o fwyd
arbennig?

Os oedden nhw'n oedolion, wyt ti'n gwybod beth oedd rhai o'u swyddi yn ystod eu bywyd?

Beth roedden nhw'n mwynhau ei wneud pan oedden nhw'n ifanc?

Dychmyga nhw fel anifail. Pa anifail fydden nhw a pham?

Oeddet ti'n arbennig o hoff o wneud rhywbeth gyda nhw?

Oedden nhw'n mwynhau chwaraeon neu hobi arbennig?

Beth yn dy farn di oedd uchafbwyntiau eu bywyd?

Pe baet ti am brynu rhywbeth neis iddyn nhw, beth fyddet ti'n ei brynu?

Mae meddwl am y cwestiynau hyn ychydig yn anoddach, felly bydda'n garedig wrthyt ti dy hun a chofia gymryd seibiant pan fyddi di'n teimlo'r angen i wneud hynny.

Pryd buon nhw farw?

Wyt ti'n gwybod pa mor hen oedden nhw pan fuon nhw farw? Faint oedd dy oed di?

Wyt ti'n gwybod eto sut yn union y buon nhw farw? (Os nad wyt ti, oes yna rywun fyddai'n gallu dy helpu di i ddeall?)

Ble roeddet ti ar y diwrnod y buon nhw farw? Oedd e'n ddiwrnod da tan hynny?

Pan glywaist ti'r newyddion drwg, beth roeddet ti'n ei wneud a phwy roddodd wybod i ti?

Da iawn! Rwyt ti wedi casglu llwyth o wybodaeth ar gyfer dy **focs atgofion**. Gall dy focs atgofion fod yn debyg i gapsiwl amser. Un diwrnod yn y dyfodol, efallai y byddi di eisiau edrych ynddo eto a rhannu dy berson di â phobl na chafodd y cyfle i'w adnabod. Oedd gennyt ti gwestiynau roeddet ti'n methu eu hateb dy hun? Os felly, wyt ti'n gallu meddwl am rywun a fyddai'n gallu dy helpu di? Yn union fel newyddiadurwr, beth am gyfweld â phobl oedd yn adnabod y person yn dda, a chofnodi eu hatebion? Ar ôl i ti gasglu'r wybodaeth, galli di rannu'r hyn rwyt ti wedi'i ysgrifennu neu ei recordio â rhywun rwyt ti'n ymddiried ynddo. Mae'n bosib dy fod ti'n gwybod yn union â phwy i rannu hyn, neu efallai dy fod ti eisiau meddwl am y peth ymhellach.

Mae siarad am dy amser gyda'r person a fu farw yn gallu gwneud i ti deimlo'n ddigalon. Mae hefyd yn gallu llyncu dy egni i gyd. Pam felly ydw i'n gofyn i ti wneud hynny?

Wel, fel rydyn ni wedi sôn, mae dwy ochr i alar — un ochr yn ymwneud â **dal gafael ar** y person sydd wedi marw a'r llall yn ymwneud â **llacio gafael** er mwyn ailadeiladu dy fywyd hebddo. Mae'r ymarfer rwyt ti newydd ei gwblhau yn ymwneud â dal gafael ar ffeithiau pwysig — bydd y wybodaeth hon yn help i ti feddwl am y person sydd wedi marw, sut y bu farw ac am yr emosiynau naturiol o fewn colled sy'n gysylltiedig â'r atgofion hynny fel dy fod ti'n gallu dechrau gwella. Cofia eiriau Jack — mae'n rhaid i ti ei deimlo er mwyn gwella!

Ond mae ochr arall i alar hefyd — <u>llacio gafael</u> . . .

Yr her o ddal gafael a llacio gafael

Mae'n gallu bod yn anodd cadw cydbwysedd rhwng dal gafael a llacio gafael ar yr un pryd. Er mwyn ceisio cael darlun clir yn dy feddwl am yr her hon – a'r syniad o alar yn symud yn ôl ac ymlaen – dychmyga siglen raff. Mae'r siglen raff wedi'i chlymu ar gangen coeden fawr gadarn sy'n ymestyn dros nant. Mae'r siglen hon yn gwbl ddiogel. Mae'r goeden yn creu ardal fawr o gysgod ar un ochr i'r nant. Does dim blodau'n tyfu o dan y goeden ar yr ochr honno, dim ond mwsogl meddal hyfryd. Fe wnawn ni alw'r ardal hon yn **'Gwlad y Golled'**. Nawr, rwy eisiau i ti ddychmygu dy fod ti'n gallu gafael yn y siglen raff a siglo'n ddiogel ar draws y nant a throsodd i'r ochr draw. Mae'r nant yn fas ac yn gynnes, ac mae'r dŵr yn llifo'n araf. Wrth i ti lanio ar yr ochr arall, mae'n oleuach, mae'r haul yn tywynnu ac mae blodau'n tyfu yno. Fe wnawn ni alw'r ochr hon yn **'Gwlad yr Ailadeiladu'**.

Dychmyga fod gwlad yr ailadeiladu yn cynrychioli'r man lle rwyt ti'n gallu dechrau **ailadeiladu dy fywyd** ar ôl i rywun farw. Mae'r ochr heulog hon yn dy ysgogi i symud ymlaen, yn tynnu dy sylw oddi ar rai o'r teimladau poenus ac yn dy helpu i ddelio â'r holl newidiadau yn dy fywyd. Ond weithiau, bydd canolbwyntio fel hyn ar y dyfodol yn mynd yn ormod, felly byddi di eisiau siglo'n ôl i'r ochr gysgodol dawel – **gwlad y golled** – lle galli di ymlacio a beichio crio, gwylltio a sgrechian neu eistedd gyda dy golled a meddwl yn dawel am y person sydd wedi marw.

Siglen Galar

Mae dy emosiynau di i gyd hefyd yn llifo'n hawdd yng **ngwlad y golled**. Wrth eistedd yma, mae'n bosib y byddi di'n gafael yn dynn yn siwmper y person sydd wedi marw oherwydd bod ei arogl yn dal i fod arni a bod hynny'n help i ti deimlo'n agos at y person. Efallai y byddi di'n crio neu'n teimlo'n ddig. Yng **ngwlad yr ailadeiladu**, ar y llaw arall, mae'n bosib y byddi di eisiau dechrau clirio'i gypyrddau a mynd â'i ddillad i siop elusen wrth i ti ddechrau ailadeiladu dy fywyd yn raddol. Ar yr ochr hon hefyd, mae'n bosib y byddi di eisiau gosod gwahanol nodau i ti dy hun, fel gwneud yn dda yn yr ysgol, heriau codi arian neu hyd yn oed bethau ymarferol fel derbyn person newydd yn dy gartref.

Wrth alaru, byddi di'n siglo'n ôl ac ymlaen ar y siglen hon, yn aml sawl gwaith y dydd, weithiau yn yr un awr hyd yn oed! Ymhen amser, byddi di'n dod i arfer â **rhythm galar** wrth iddo fynd a dod — yn union fel y tonnau ar glawr blaen y llyfr hwn. Yn y pen draw, byddi di'n gallu rheoli teimladau colled, a hefyd yn gallu ailadeiladu dy fywyd. Mae gan bobl sy'n astudio galar enw ar y syniad hwn o symud yn ôl ac ymlaen — damcaniaeth y BROSES DDEUOL (proses â dwy ran iddi). Y syniad dy fod ti'n igam-ogamu yn ôl ac ymlaen rhwng teimlo dy golled ac ailadeiladu dy fywyd. Mae'n gweithio'n dda i lawer o bobl, a gobeithio ei fod yn gwneud synnwyr i ti. Ydy dy siglen raff di'n symud yn ôl ac ymlaen neu wyt ti o bosib yn teimlo fymryn yn sownd ar un ochr i'r nant ar adegau?

Pan fydd galar yn mynd yn sownd

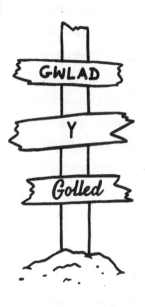

Mae dal gafael a llacio gafael yn dal i fod yn anodd, felly paid â gadael i dy hun fynd yn **sownd** ar un ochr i'r nant. Roedd hi'n anodd iawn i un person hanesyddol adnabyddus fynd ar y siglen ddychmygol. Efallai dy fod ti wedi clywed am y Frenhines Victoria. Roedd hi'n ei chael hi'n anodd llacio gafael ar ei galar, ac o ganlyniad, roedd hi'n sownd yng **ngwlad y golled**.

Y Tywysog Albert oedd ei gŵr annwyl, a bu farw'n sydyn yn ddim ond 42 oed. Am 40 mlynedd (gweddill ei hoes), gwisgodd y Frenhines Victoria ddillad du, ac yn aml roedd yn ei chael hi'n anodd siarad â phobl ac ymddangos yn gyhoeddus. Ar y dechrau yn sicr, roedd hi'n anodd iawn iddi ddal ei gafael ar Albert a llacio'i gafael arno er mwyn ailadeiladu ei bywyd. Trwy ddal gafael ar ei galar roedd hi rywsut yn cau popeth arall allan.

GWLAD YR AILADEILADU

Ond mae rhai pobl hefyd yn mynd yn sownd yng **ngwlad yr ailadeiladu** — dydyn nhw ddim yn gallu dioddef meddwl am y person maen nhw wedi'i golli, felly maen nhw'n gwthio'u teimladau'n ddwfn o'r golwg ac yn eu hanwybyddu. Bydd llawer o bobl sy'n mynd ati i adfer ac ailadeiladu eu bywyd yn taflu'u hunain i brosiectau er mwyn cadw'u hunain yn **brysur, brysur, brysur** — yn aml er mwyn tynnu eu sylw oddi ar y teimladau poenus hynny o golled.

Er bod dod o hyd i gydbwysedd rhwng dal gafael a llacio gafael yn teimlo'n haws, does dim un ffordd o alaru. Byddi di'n gwybod sut a phryd rwyt ti eisiau siglo ar y siglen raff.

Efallai y byddi di'n teimlo bod pobl yn feirniadol o'r ffordd rwyt ti'n mynd o'i chwmpas hi. Mae galar yn beth preifat, ac yn aml dydy pobl ddim wir yn ei ddeall. Fe fyddwn ni'n sôn llawer yn y llyfr hwn am geisio dod o hyd i rywun rwyt ti'n gallu ymddiried ynddo i ddeall dy alar. Ond o ran dal gafael a llacio gafael, dim ond ti fydd yn gallu dod o hyd i **rythm** iach o ymweld â gwlad y golled a gwlad yr ailadeiladu. Bydd yr ymarferion yn y llyfr hwn yn dy helpu ar ddwy ochr y nant fel dy fod ti'n dod o hyd i'r cydbwysedd sy'n iawn i ti.

Mae yna hen ddywediad sy'n dweud:

'Caredigrwydd yw'r allwedd i'r deyrnas.'

Dyma'r adeg i fod yn garedig wrthyt ti dy hun a siarad yn ddewr â rhywun rwyt ti'n ymddiried ynddo am yr hyn sydd wedi digwydd. Yn y pen draw, bydd dy deimladau o alar yn datgloi. Byddan nhw'n dechrau teimlo'n **llai trwm** i'w cario o gwmpas, ac mae'n bosib y bydd dy siglen raff yn siglo'n fwy rhwydd yn ôl ac ymlaen.

Ychydig flynyddoedd yn ôl, cefais wahoddiad i gyfarfod â'r Frenhines. Roedd hi eisiau diolch i mi am weithio gyda phlant mewn profedigaeth, felly cefais fy ngwahodd i'r Palas gyda llawer o bobl eraill yr oedd hi eisiau diolch iddyn nhw. Roeddwn i **wedi cyffroi** ond, ar y bore, pan oeddwn i'n edrych yn y drych cyn gadael am Balas Buckingham, dyma fi'n dechrau crio. Am od, meddyliais wrthyf fy hun. Roeddwn i'n gwybod bod hwn yn ddiwrnod arbennig, diwrnod o ddathlu. Yn sydyn iawn, roeddwn i'n teimlo'n drist am na allai fy nhad fod yno gyda fi. Roedd wedi marw yn sydyn o drawiad ar y galon ac, fel sy'n wir i lawer, doedden ni ddim wedi cael cyfle i ffarwelio â'n gilydd. Roeddwn i'n gwybod bod angen i fi droi at fy adnoddau galar yn sydyn. Edrychais yn y cwpwrdd lle rwy'n cadw **bocs atgofion** am fy nhad a gafael mewn potel o Old Spice, ei hoff bersawr siafio. Mae ganddo arogl eithaf arbennig a phan fydda i'n ei arogli, rwy'n cofio bod yn yr ystafell ymolchi fel merch fach yn gwylio fy nhad yn siafio. Dyma fi'n tasgu tipyn drosof i fy hun a thros fy nillad newydd. Eitha tipyn, a dweud y gwir! Mae aroglau'n gallu creu cysylltiad cryf â'n hemosiynau. (Wnaeth y Frenhines ddim cyfeirio at fy newis 'diddorol' o bersawr!)

Roeddwn i'n teimlo bod fy nhad gyda fi ar fy niwrnod arbennig. Tybed a oedd y Frenhines Elizabeth II ifanc yn teimlo fel yna ar ddydd ei Choroni yn 1953? Roedd ei thad wedi marw beth amser ynghynt, pan oedd hi yn Kenya, a chafodd hi ddim cyfle i ffarwelio chwaith. Roedd hi'n 25 oed ar y pryd, ac aeth ymlaen i dreulio cyfnod hirach ar orsedd Prydain na'r un brenin neu frenhines arall erbyn iddi farw ym mis Medi 2022.

ROALD DAHL

'Squishous', 'squizzle', 'scrumdiddlyumptious', 'fizzlecrump' a 'fizzwiggler' ... mae angen storïwr arbennig iawn i fathu geiriau mor wych!

Dros gan mlynedd yn ôl, yn 1920, digwyddodd rhywbeth trist iawn ym mywyd person a aeth ymlaen i fod yn un o storïwyr enwocaf yr 20fed ganrif.

Dim ond tair oed oedd **Roald Dahl** pan fu farw ei chwaer saith oed, Asti, wedi i'w phendics fyrstio. Yn ei hunangofiant, mae Roald Dahl yn esbonio ei fod yn llythrennol yn **methu siarad** am ddyddiau ar ôl i Asti farw. Yna, wythnosau'n unig yn ddiweddarach, cafodd ei dad niwmonia a bu yntau farw hefyd.

Newidiodd bywyd teulu Roald Dahl yn fawr iawn ar ôl i'w chwaer a'i dad farw. Roedd ei fam yn disgwyl babi pan fu farw ei gŵr ac ychydig flynyddoedd yn ddiweddarach, cafodd Roald ei anfon i ffwrdd i ysgol breswyl.

Mae'n ysgrifennu am ei fam ag anwyldeb mawr, ac mae'n ei disgrifio fel storïwraig wych. Pan oedd Roald gryn dipyn yn hŷn, daeth yn storïwr ei hun. Ysgrifennodd lawer o lyfrau ac ynddyn nhw, roedd bob amser yn rhoi pwerau arbennig i'r cymeriadau da a gwerthoedd cadarn i'w llywio nhw drwy **ddyfroedd stormus**. Yn ei stori gyntaf erioed i blant — *James a'r Eirinen Wlanog Enfawr* — rydyn ni'n cyfarfod James, sydd wedi cael bywyd hyfryd gyda'i rieni nes iddo ddod yn amddifad yn sydyn. Mae ei fam a'i dad yn cael eu lladd gan rinoseros sy'n dod allan o gwmwl yn yr awyr! Felly mae James yn dechrau ar ei daith alar ei hun, ac mae'n cyrraedd y pen draw gydag agwedd benderfynol a chyfeillgarwch. Yn *Matilda*, llyfr anhygoel arall gan Roald, mae merch fach yn dod o hyd i rywun mae hi'n ymddiried ynddi i'w helpu i ddod drwy gyfnodau anodd gyda'i theulu — athrawes garedig o'r enw Miss Honey. Ac yn y llyfr *Y Cawr Mawr Mwyn*, mae Sophie — sydd hefyd yn amddifad — a chawr mawr cyfeillgar yn mynd ar daith gyda'i gilydd. Mae darnau o'r daith honno'n wirioneddol erchyll, ond mae rhannau eraill yn cynnig cysur.

Bu farw merch Roald ei hun o'r frech goch pan oedd hi'n saith oed, a gofynnodd am roi rhywfaint o'r arian o werthiant ei lyfrau i helpu plant â chyflyrau iechyd difrifol. Roedd yn amlwg wedi gorfod dygymod â llawer o dristwch a galar yn ei fywyd ei hun, ond efallai fod ysgrifennu wedi ei helpu i **wneud synnwyr** o'r teimladau hynny.

Neges llawer o straeon
Roald Dahl
yw, er bod
pethau'n gallu
bod yn anodd,
BYDDI DI'N IAWN.

PENNOD 2

YMARFERION GALAR

Rwy'n hoffi dychmygu bod galar yn eithaf tebyg i gyfnod hir a chaled o ymarfer corff. Mae'n ddwys, yn dy flino di'n ofnadwy ac ar ôl diwrnod hir yn yr ysgol, mae'n ddigon posib mai dyna'r peth olaf y byddi di eisiau ei wneud. Ond drwy wneud ychydig o ymarferion, o ddydd i ddydd, galli di gryfhau dy **gyhyrau galar** yn raddol – gan ddod o hyd i ffyrdd haws o ymdopi a thyfu'n gryfach wrth i ti wneud hynny. Ond does dim 'cyhyrau galar' yn y corff mewn gwirionedd, meddet ti. Rwyt ti'n iawn, fy nychymyg i sy'n mynd yn rhemp! Ond beth am esgus eu bod nhw'n bodoli a bod pob un ohonyn nhw'n dy helpu di i dyfu, aros yn gryf a theimlo'n iach. Unwaith y byddi di wedi eu datblygu a'u hystwytho, byddi di'n teimlo ei bod yn bosib i ti ymdopi hyd yn oed â'r dyddiau anoddaf. Dyma'r cyhyrau sy'n golygu y byddi di'n gallu neidio ar dy siglen sawl gwaith y dydd yn ôl angen. Mae hynny'n swnio'n ddefnyddiol, yn tydi?

Y saith cyhyr campus

Dyma gyfle i ddod i adnabod y **saith cyhyr galar** a fydd yn dy helpu i fod yn gryfach ac yn fwy gobeithiol – y cyhyrau symbolaidd y byddwn ni'n eu hystwytho i dy helpu ar dy daith alar. Y cyhyrau a fydd yn dy helpu i siglo yn ôl ac ymlaen o wlad y golled i wlad yr ailadeiladu.

57

YMDDIRIEDAETH

Dewis siarad yn agored â phobl sydd eisiau deall a gwrando

Rhaid i ti ddod o hyd i bobl y galli di ymddiried ynddyn nhw, sy'n onest, a thithau'n teimlo'n ddiogel yn eu cwmni. Does dim angen llawer ohonyn nhw. Dim ond un neu ddau o bobl i gynnig cefnogaeth i ti, pobl na fydd yn dy farnu di neu'n malio os wyt ti'n troi atyn nhw am help. Ar dudalennau 67–68, rwy wedi cynnwys rhestr wirio a allai fod o fudd i'w dangos i'r bobl rwyt ti'n eu dewis i fod yn ffrindiau y galli di ymddiried ynddyn nhw. Y fantais arall o ddatblygu'r cyhyr ymddiriedaeth yw ei fod yn dy helpu i ymddiried ynot ti dy hun.

HYDER

Bod yn siŵr ohonot ti dy hun

Mae pobl yn aml yn synnu faint o hyder maen nhw'n ei golli pan fydd rhywun yn marw. I ble mae'n mynd? Cyn i'r person farw, roedd trefn naturiol ar fywyd, ond bellach, gall bywyd ymddangos yn llai diogel mewn rhai ffyrdd. Wyt ti wedi sylwi ar hynny o gwbl? Efallai nad wyt ti erioed wedi bod yn llawn hunanhyder, a bod colli rhywun wedi gwaethygu hynny. Weithiau, er enghraifft, mae mynd yn ôl i'r ysgol yn gallu bod yn anodd, ac yn sydyn iawn rwyt ti'n teimlo ychydig yn llai hyderus o ran pwy wyt ti a beth i'w ddweud wrth bobl.

COFIO

Creu storfa atgofion sy'n gallu cynnig cysur a thawelwch meddwl i ti

Mae'n bwysig dal gafael ar dy atgofion pwysig neu arbennig am y person sydd wedi marw. Weithiau, gallwn deimlo y byddai'n well anghofio'r person oherwydd bod yr atgofion yn creu'r fath dristwch, ond fe wnei di sylweddoli bod rheoli dy atgofion yn ofalus yn dod yn rhan gynyddol bwysig o symud ymlaen. Mae mor bwysig dewis yr atgofion sy'n ein helpu i deimlo'n dda a dod o hyd i ffyrdd o reoli unrhyw atgofion sy'n ddi-fudd ac yn boenus. Fe fyddwn ni'n sôn llawer mwy am reoli dy holl atgofion gwahanol ym mhennod 3.

MEDDYLFRYD GALAR

Credoau sy'n dy helpu di i dyfu y tu hwnt i dy golled

Ffordd o feddwl am rywbeth yw meddylfryd. Os yw dy feddylfryd yn iach, gall dy helpu i feithrin hwyliau gwell ac i dyfu. Yn aml, pan fyddi di'n galaru, dydy hi ddim yn bosib cynnal meddylfryd cadarnhaol drwy'r amser. Yn sicr, mae angen i ti allu teimlo'n ddiflas iawn ar adegau. Ond bydd ymdrechu i ddatblygu meddylfryd galar cryf yn dy helpu i dyfu o gwmpas dy golled. Er enghraifft, bydd pobl weithiau'n teimlo'n flin iawn am y ffordd y bu rhywun farw. Byddai meddylfryd galar yn eu helpu i dderbyn nad oedden nhw eisiau i bethau ddigwydd fel y gwnaethon nhw ac nad ydyn nhw ar fai mewn unrhyw ffordd. Mae'n gyhyr pwysig iawn sydd yn aml yn cymryd amser i'w ddatblygu, felly byddwn yn sôn llawer mwy am hyn ym mhennod 4.

DYCNWCH

Dod o hyd i dy gryfder mewnol ac edrych ymlaen

Mae 'dycnwch' yn air gwych i'w ddweud allan yn uchel. Rho gynnig arni – gwaedda. 'DYCNWCH!' Mae'r cyhyr hwn yn rhoi cryfder mawr i ti. Mae angen dyfalbarhad a gwaith caled i ddatblygu cyhyrau cryf. Bydd agwedd benderfynol a dygn yn dy helpu i ymdopi â phethau. Mae gennyt ti ddycnwch. Bydd y cyhyr hwn yn dy helpu i frwydro'n ôl pan fydd pethau'n mynd o chwith. Mae'n cynnig gwytnwch (y gallu i godi'n ôl ar dy draed a dal ati) er mwyn i ti allu dilyn dy freuddwydion. Ond mae angen gwaith a dyfalbarhad i ddatblygu'r cyhyr hwn. Pan fyddwn ni'n cyfarfod â'r pêl-droediwr Syr Bobby Charlton ar ddiwedd y bennod hon, fe weli di sut roedd angen llawer o ddycnwch arno i ddychwelyd i chwarae pêl-droed proffesiynol ar ôl colled ofnadwy. Byddwn hefyd yn cyfarfod llawer o bobl adnabyddus sydd wedi dangos llawer o ddycnwch ym mhennod 4.

TEIMLADAU HYBLYG

Eu dangos, peidio â'u dangos. Eu rhannu, peidio â'u rhannu

Mae hwn yn gyhyr diddorol iawn gan ei fod yn dy helpu i sylwi, derbyn a mynegi dy deimladau AC mae hefyd yn dy helpu i reoli dy emosiynau pan fydd angen gwneud hynny. Er enghraifft, pe bawn i wedi dechrau crio o flaen y Frenhines oherwydd fy mod i'n gweld colli fy nhad, gallai fod wedi bod fymryn yn lletchwith. Rwy'n siŵr y byddai hi wedi ymdopi ac mae'n ddigon posib y byddai ganddi hances lân yn ei bag i fi, ond mae'n debyg y byddwn i wedi teimlo braidd yn annifyr. Felly'r tro hwnnw, roedd hi'n llawer gwell crio o flaen y drych yn y bore a bod yn wên o glust i glust am weddill y dydd. Mae'r cyhyr teimladau hyblyg hwn yn dy helpu i barchu dy deimladau, eu rheoli ac yn bwysig iawn, i BEIDIO â'u cloi o'r golwg. Hynny yw, mae angen i ti fod yn ddewr i ddygymod â theimladau galar ac mae'r cyhyr hwn yn dy helpu i gadw rheolaeth. Fe fyddwn ni'n edrych ar y cyhyr pwysig hwn drwy'r llyfr ac yn enwedig ym mhennod 5, lle byddwn ni hefyd yn edrych ar sut mae aelodau eraill o dy deulu yn dangos eu teimladau nhw.

CYDBWYSEDD

Dod o hyd i amser i orffwys a chwarae. Dal gafael ar y gorffennol, llacio gafael i ailadeiladu dy fywyd

Wyt ti'n cofio siglen galar a'r her o ddal gafael a llacio gafael? Rydyn ni'n gwybod ei bod hi'n anodd cadw cydbwysedd pan wyt ti'n galaru – dyna pam mae hi mor bwysig symud rhwng gwlad y golled ac, ar yr un pryd, cymryd hoe, symud, gwneud cynlluniau a hyd yn oed dechrau cael hwyl yng ngwlad yr ailadeiladu. Mae galar yn gofyn i ti addasu dy gydbwysedd i wahanol brofiadau. Rhan bwysig arall o'r cyhyr cydbwysedd yw gofalu amdanat ti dy hun ac eraill. Mae galar yn gallu teimlo'n drwm iawn, felly mae angen i ni ddefnyddio'r cyhyr hwn i ysgafnhau'r llwyth. Mae gofalu amdanat ti dy hun ac eraill yn angenrheidiol gan fod galar yn gallu dy flino'n llwyr. Mae'n bwysig gweithio, gorffwys a chwarae, a byddwn ni'n edrych yn fanylach ar hyn ym mhennod 6.

Mae saith cyhyr yn dipyn o gyhyrau, a byddwn ni'n edrych arnyn nhw'n fanylach wrth i ni symud drwy'r llyfr. Weithiau, byddi di'n eu defnyddio i gyd gyda'i gilydd. Dro arall, byddi di'n eu defnyddio bob yn un. Fe weli di dy fod ti'n fwy hoff o ambell un na'i gilydd, ond mae'n syniad da rhoi cynnig arnyn nhw i GYD er mwyn i ti allu adnabod pob un! Yn y bennod hon, bydda i'n canolbwyntio ar ddau. **Ymddiriedaeth** a **hyder**.

Felly, yn gyntaf –
YMDDIRIEDAETH

Cyhyr ymddiriedaeth

FFRINDIAU Y GALLI DI YMDDIRIED YNDDYN NHW – pobl y galli di ddibynnu arnyn nhw. Rwyt ti'n gyfforddus yn siarad am y pethau difrifol â nhw oherwydd dy fod ti'n teimlo'n ddiogel yn eu cwmni.

Gall ffrindiau y galli di ymddiried ynddyn nhw fod yn oedolion neu'n gyfoedion, pobl rwyt ti'n mwynhau treulio amser yn eu cwmni er mwyn dianc rhag pwysau galar.

Ond weithiau, rwyt ti angen pobl i rannu'r pethau anodd â nhw. Wyt ti'n cofio i ni drafod sgyrsiau dewr yn y cyflwyniad? Wel, yn ystod dy daith alar, rwyt ti'n mynd i orfod cael llawer o'r rhain. Mae'n hynod o bwysig dod o hyd i bobl i gael y sgyrsiau yma â nhw. Un neu ddau oedolyn efallai, a ffrind da yr un oed â ti. Efallai fod gennyt ti rai pobl mewn golwg eisoes. Rhywun rwyt ti'n gallu gofyn am ei help yn hyderus gan dy fod ti'n ymddiried yn llwyr ynddo. Fe allai hynny fod yn unrhyw un – ffrind agos, modryb neu ewythr neu athro neu athrawes rwyt ti'n teimlo'n gyfforddus yn eu cwmni ac yn eu hoffi.

Ond mae gofyn am HELP yn gallu bod yn anodd.

Mae llinell mewn llyfr gan yr awdur a'r darlunydd, Charlie Mackesy, sy'n crynhoi'r cyfan. Ynddo mae llun o fachgen a cheffyl.

'Beth yw'r peth **dewraf** i ti ei ddweud erioed?' gofynnodd y bachgen. **'Help'** meddai'r ceffyl.

Dydy hi ddim bob amser yn hawdd gofyn i bobl am help, yn enwedig os wyt ti'n teimlo'n ddihyder.

Ond rwy eisiau i ti wybod un ffaith ddiddorol iawn. Cwestiwn cyflym:

Sut wyt ti'n meddwl mae'r RHAN FWYAF o bobl yn teimlo GAN AMLAF pan fyddan nhw'n gofyn am HELP?

Gofynnais yr un cwestiwn i grŵp o bobl fusnes hyderus, ac fe ddywedon nhw:

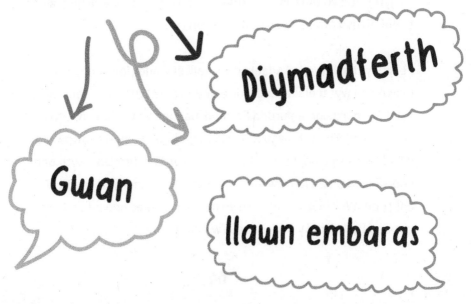

Diymadferth

Gwan

llawn embaras

Wedyn, gofynnais iddyn nhw: Sut rydych chi'n teimlo pan fydd rhywun yn gofyn i *chi* am help?

Fe ddywedon nhw eu bod yn teimlo:

Yn falch

Eu bod yn rhywun y gallai eraill ymddiried ynddo

Yn ddiolchgar o gael cais o'r fath

Diddorol, ynte? Mae pob un ohonon ni (gan gynnwys fi) yn aml yn meddwl ddwywaith cyn gofyn am help ac eto pan fydd pobl eraill yn gofyn i ni am ein help, mae'n gallu bod yn brofiad cadarnhaol iawn, yn gyfle i fod yn **bartner meddwl** i helpu rhywun i ddeall beth sy'n ei boeni. Rydyn ni'n falch eu bod yn gofyn i ni.

Felly, wyt ti'n llwyddo i adael pobl y galli di ymddiried ynddyn nhw i mewn neu wyt ti eisiau cadw dy alar dan glo? Wrth iddo ddod yn fwy cyfarwydd â galar, eglurodd Freddie, bachgen rwy wedi gweithio ag o, y byddai'n dychmygu rhoi galar i gadw ar waelod ei gwpwrdd dillad fel na allai pobl ei weld yn teimlo'n ofidus. Dim ond wyth oed oedd Freddie pan fu farw ei fam, ond bod yn annibynnol oedd ei unig nod. Weithiau, doedd hyd yn oed ei ffrindiau agosaf ddim yn gwybod beth oedd y ffordd orau i'w helpu.

Ychydig flynyddoedd yn ôl, cafodd gweithwyr y **Rhwydwaith Profedigaeth Plant** syniad gwych. Fe wnaethon nhw sylweddoli fod hyd yn oed ffrindiau y gellir ymddiried ynddyn nhw yn ei chael hi'n anodd gwybod beth i'w wneud neu ei ddweud weithiau. Fe wnaethon nhw greu cardiau i blant eu dangos i ffrind (ac i eraill) fel eu bod nhw'n gwybod sut i'w helpu. Rwy wedi creu rhywbeth tebyg isod. Efallai y byddi di eisiau ei newid a chreu un dy hun, neu ddangos y rhestr hon i ffrind ac yna sgwrsio am y pethau sydd bwysicaf i ti.

Gofyn am help gan ffrind rwyt ti'n ymddiried ynddo

Annwyl (enw dy ffrind) _____

Fel rwyt ti'n gwybod, mae (enw dy berson) wedi marw. Rwyt ti'n ffrind da ac rwy'n ymddiried ynot ti. Rwy wedi ticio ambell beth isod sy'n arbennig o bwysig i fi ar hyn o bryd. Gobeithio y bydd eu darllen nhw yn ei gwneud hi'n haws i'r ddau ohonon ni.

- ☑ Bydd yn ffrind i fi a bydd yn ti dy hun — hyd yn oed os nad wyt ti'n gwybod beth i'w wneud neu ei ddweud. Mae gwybod dy fod ti yno yn help

- ☐ Paid ag ymddwyn yn wahanol yn fy nghwmni i

- ☐ Gofynna a oes rhywbeth alli di ei wneud os ydw i'n cael diwrnod gwael

☐ Rho gwtsh i mi os ydw i'n edrych yn drist

☑ Helpa fi i gael hwyl a chwerthin weithiau

☑ Gofynna i fi os ydw i eisiau siarad am y person sydd wedi marw. Weithiau, bydda i. Weithiau, fydda i ddim

☑ Os ydy pobl yn dal i dyrru o 'nghwmpas i ac yn gofyn gormod o gwestiynau i mi, alli di fy helpu i, fel nad ydw i'n gorfod trafod y peth â phawb drwy'r amser?

☐ Gad lonydd i fi weithiau. Rwy'n gwybod dy fod ti'n poeni amdana i

☐ Os wyt ti'n pryderu amdana i ac yn meddwl bod angen i fi fynd i weld rhywun, siarada â fi fel fy mod i'n gallu gofyn ble i ddod o hyd i'r help hwnnw

☐ Paid â theimlo bod yn rhaid i ti wneud pethau i fy mhlesio i

☑ Pan fyddwn ni'n trafod pynciau pwysig, rwy angen gwybod na fyddi di'n dweud dim wrth neb arall heb ofyn i fi

☑ Gad lonydd i fi os ydw i'n ymddwyn ychydig yn od, yn cael diwrnod gwael neu ychydig yn flin. Mae'n bosib fy mod i'n gofidio am rywbeth ac angen bod ar fy mhen fy hun. Paid â chael siom. Mae fy nheimladau i ar chwâl

Cofia fod y rhai sydd wedi eu ticio yn dangos sut rwy'n teimlo'r eiliad hon. Fe allai pethau newid. Beth am gael sgwrs? Diolch am ddarllen hwn — rwyt ti'n **ffrind da.**

Oddi wrth _____

Tybed i ba ffrind y byddi di'n ei ddangos gyntaf? Mae'n gweithio ar gyfer ffrindiau sydd yr un oedran â ti, ac oedolion y galli di ymddiried ynddyn nhw fel athro neu aelod o'r teulu. Beth bynnag wnei di, cofia fod gofyn am help yn beth **dewr** i'w wneud a bod pobl yn teimlo'n dda pan mae rhywun yn gofyn iddyn nhw am help. Maen nhw'n gwybod dy fod ti'n gwneud dy orau glas i ymdopi â pheth mawr iawn yn dy fywyd. A phan mae hynny'n digwydd, mae pob un ohonon ni angen hwb ychwanegol o hyder, cefnogaeth a rhywun sydd yno ar ein cyfer ni.

HELP!

Mae gofyn am help yn beth
DEWR i'w wneud
(ac mae pobl yn teimlo'n dda pan mae rhywun yn gofyn iddyn nhw.)

Yn yr adran yma, gad i ni edrych ar beth allai helpu i fagu hyder.

Cyhyr hyder

Rydyn ni'n gwybod bellach ei bod hi'n dda cael un neu ddau o bobl sy'n deall dy sefyllfa yn iawn. Mae hyn yn bwysig oherwydd bydd llawer o bobl yn gofyn cwestiynau braidd yn lletchwith i ti. Fe fydd y ffrind y galli di ymddiried ynddo yn gallu dy helpu di i ymdopi â'r sefyllfaoedd hyn gyda'r ymarfer nesaf hwn.

Mae hen ddywediad Tsieineaidd sy'n dweud, 'Mae taith o fil o filltiroedd yn dechrau ag un cam.' Ac mewn sawl ffordd, dyma **gam un** datblygu cyhyr hyder galar.

Her y cam cyntaf hwn yw gallu dweud …

beth sydd wedi digwydd

a phwy sydd wedi marw

mewn **un frawddeg fer** wrth bobl sy'n gofyn, oherwydd eu bod nhw'n poeni amdanat ti.

Rwy'n gwybod y bydd hyn yn gwneud rhai pobl yn nerfus. Y foment honno pan fyddi di'n teimlo fel bod afal yn dy wddf. Ond bydd ymarfer yn dy helpu di i ddweud beth sydd wedi digwydd ac i wybod nad wyt ti'n mynd i deimlo bod dy emosiynau am gael eu llethu pan fydd rhywun yn gofyn. Fe alli di ymarfer y frawddeg hon o flaen y drych (neu gyda'r ffrind y galli di ymddiried ynddo) a'i **dweud**

72

drosodd a throsodd. Bydd cwestiynau lletchwith yn dechrau teimlo'n llai lletchwith. Yn y pen draw, byddi di'n gallu ateb yn hyderus. Ar y dechrau, mae'n bosib y bydd dy stumog di'n corddi, ac y bydd angen i ti anadlu'n ddwfn hanner ffordd drwy dy ateb os wyt ti'n teimlo dy lais yn torri neu'r dagrau'n cronni.

Dyma brofiadau pedwar o bobl ifanc a ddechreuodd fagu eu cyhyr hyder drwy gael trefn ar eu **brawddeg galar** fel ei bod yn barod i'w defnyddio.

WILL, 9 oed

Rwy am ddechrau drwy rannu stori Will. Roedd yn naw oed pan fu farw ei daid yn sydyn mewn damwain car. Roedd taid Will yn hynod bwysig yn ei fywyd. Roedden nhw'n gwneud popeth gyda'i gilydd. Ei daid oedd yn ei gasglu o'r ysgol bob dydd. Ar ôl i'w daid farw, roedd Will gartref o'r ysgol ar gyfer yr angladd. Pan ddaeth yn ôl i'w wersi, dywedodd rhywun wrth giât yr ysgol — mam siriol ond bryderus un o ffrindiau Will — 'Ydy dy daid yn hwyr heddiw, Will? Dydy hynny ddim yn digwydd yn aml, nac'di?'

Pan ddywedodd hynny, suddodd calon Will. Edrychodd i ffwrdd ac roedd eisiau i'r ddaear ei lyncu. Doedd o ddim yn gallu siarad am y peth gan ei fod yn poeni y gallai grio o flaen pawb.

Beth oedd Will fod i'w ddweud? Dweud dim? Dweud celwydd, 'Bydd Taid yma cyn bo hir'?

NAGE. Anadlodd Will yn ddwfn, a dweud yn hyderus:

'Efallai nad ydych chi wedi clywed, ond bu Taid farw mewn damwain car bythefnos yn ôl yn ystod hanner tymor. Diolch am ofyn. Mae'n rhaid i fi fynd nawr. Fe fydd Mam yma cyn bo hir.'

Fe ddeffrodd **cyhyr hyder** a helpu Will i ddweud brawddeg fer heb deimlo'n rhy emosiynol. Roedd ei fam wedi ei helpu i ymarfer ei dweud. Rhedodd Will i ffwrdd yn syth wedyn gan nad oedd o am fentro cael sgwrs hirach, ond roedd yn falch o fod wedi dweud beth wnaeth o. Drannoeth, pan ofynnodd rhywun arall, roedd hi dipyn bach yn haws.

Wyt ti'n gweld? Rydyn ni'n chwilio am frawddeg rwyt ti wedi ymarfer ei dweud fydd yn rhoi **hyder** i ti os bydd rhywun sy'n malio amdanat ti yn dy holi. Dim byd ond brawddeg fer, syml sy'n cael ei dweud â chynhesrwydd ond sy'n caniatáu i ti ddianc pan fyddi di wedi cael digon.

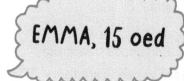
EMMA, 15 oed

Roedd Emma yn 15 oed pan fu farw ei brawd ar ôl salwch hir. Roedd hi wedi bod yn ofalwr iddo, ynghyd ag aelodau eraill o'r teulu. Roedden nhw'n gwybod ers i Sam gael ei eni y gallai farw ar unrhyw adeg. Pan ddaeth y foment honno, roedd hi'n ergyd anodd. Yn syml, byddai Emma yn dweud wrth bobl:

'Mae'n calonnau ni'n deilchion achos bod Sam wedi marw. Roedd yn salwch mor hir ac anodd, ac roedd yn anhygoel o ddewr, ond rydyn ni'n falch iddo farw'n dawel yn yr hosbis heb unrhyw boen.'

SARINA, 12 oed

Wrth gwrs, mae rhai straeon hyd yn oed yn fwy cymhleth. Efallai na fyddi di eisiau dweud yn union sut y bu dy berson farw, yn enwedig wrth rywun nad wyt ti'n ei adnabod yn dda iawn.

Bu'n rhaid i Sarina, oedd yn 12 oed, feddwl yn ofalus am ei brawddeg hyder un llinell. Roedd ei thad wedi marw o effeithiau yfed alcohol yn drwm iawn. Roedd yn stori gymhleth. Roedd ei thad yn aml yn flin, ac yn dreisgar o bryd i'w gilydd. Ar adegau, roedd Sarina yn ei chael hi'n **anodd** dweud ei bod hi'n ei garu (doedd hi wir ddim yn hoffi ei byliau o dymer) ac roedd yn teimlo'n flin pan fyddai pobl yn cymryd yn ganiataol bod ei thad yn ddyn 'gwych'. Yn naturiol, roedd ymdopi â chymaint o deimladau anodd yn dipyn o her i Sarina; ond penderfynodd y byddai'n dweud:

'Diolch am ofyn, bu farw fy nhad yn sydyn ym mis Hydref y llynedd. Mae hi wedi bod yn flwyddyn anodd i ni fel teulu, ond rydyn ni'n cefnogi ein gilydd. Mae'n rhaid i fi fynd ...'

Dim ond pobl roedd hi'n ymddiried ynddyn nhw go iawn fyddai'n cael clywed ei hanes yn fanylach.

Felly, fel y gweli di, mae pob stori'n wahanol, a bydd gan bawb ffordd wahanol o siarad am yr hyn sydd wedi digwydd.

Mae hi'n bryd nawr i ti gael trefn ar dy frawddeg di. Ysgrifenna hi yn dy lyfr nodiadau neu recordia hi ar dy ffôn ac ymarfer ei dweud yn uchel, drosodd a throsodd. Unwaith y byddi di wedi dysgu'r frawddeg yn iawn, mae'n golygu y byddi di'n gallu ei dweud hi ar y dyddiau da ac ar y dyddiau hynny pan fyddi di'n teimlo'n fwy isel ac ychydig yn fwy sigledig.

Cofia, mae'n iawn peidio â dweud popeth wrth bobl — dim ond â phobl rwyt ti wir yn ymddiried ynddyn nhw y byddi di'n teimlo'n gyfforddus yn rhannu'r stori lawn.

Fel y gweli di, drwy ddechrau hyfforddi dim ond dau o dy gyhyrau galar — **HYDER** ac **YMDDIRIEDAETH** — byddi di'n dod o hyd i nerth. Efallai nad wyt ti bob amser yn teimlo'n barod i fod yn hollol agored; ond pan fyddi di, mae gennyt ti ateb parod. Mae'n lle da i ddechrau. Cael sgwrs am y person sydd wedi marw, ymddiried mewn pobl eraill ac ymdopi â rhai sefyllfaoedd sydd o bosib yn lletchwith. Mwya'n byd y byddi di'n ymarfer, cryfa'n byd fyddi di. Nawr, gad i ni glywed hanes pêl-droediwr y bu'n rhaid iddo fagu ei gyhyrau galar yn sydyn iawn.

SYR BOBBY CHARLTON

Mae Syr Bobby Charlton yn cael ei ystyried yn un o'r chwaraewyr pêl-droed gorau erioed o Loegr. Roedd yn aelod o dîm Lloegr a enillodd Gwpan y Byd FIFA yn erbyn yr Almaen yn 1966. (Y tro cyntaf a'r unig dro mae Lloegr erioed wedi ei hennill — hyd yma!)

Ond rwy eisiau adrodd stori am rywbeth a ddigwyddodd wyth mlynedd cyn y fuddugoliaeth enwog honno yng Nghwpan y Byd. Treuliodd Bobby ei yrfa gyfan bron iawn yn chwarae i'r un clwb — **Manchester United**. Y strategaeth bryd hynny oedd datblygu chwaraewyr yn hytrach na'u prynu. Felly roedd angen i'r rheolwr

(Syr Matt Busby) chwilio am chwaraewyr yn eu harddegau a oedd yn edrych fel pe bai ganddyn nhw'r sgiliau angenrheidiol.

Yn 1958, roedd Bobby Charlton yn un o'r bechgyn hynny. Roedd bod yn aelod o'r tîm hwn yn meddwl y byd i Bobby, bachgen 20 oed swil a oedd yn caru chwarae pêl-droed.

Ymunodd â'r clwb yn 17 oed, a bu'n rhaid iddo aros tair blynedd cyn cael ei ddewis o'r diwedd i chwarae gyda'i holl ffrindiau yn y tîm cyntaf. Roedd wrth ei fodd ar ôl chwarae'n dda mewn gêm bwysig fawr yn erbyn Red Star Belgrade. Er bod y tywydd yn wael iawn, roedd y tîm mewn hwyliau dathlu wrth iddyn nhw fynd ar awyren yn München – *Munich*, yr Almaen, ar gyfer cymal olaf eu taith yn ôl adref i Fanceinion.

Mis Chwefror oedd hi, ac roedd hi wedi dechrau bwrw eira a glawio'n drwm. Roedd 44 o deithwyr ar yr awyren fechan, a'r 11 aelod o'r **tîm cyntaf** yn eu plith.

Yn drychinebus, daeth rhedfa'r maes awyr i ben cyn i'r awyren allu codi a tharodd yr awyren dŷ, ac aeth ar dân. Tynnwyd Bobby o'r awyren gan y golwr, ac yn wyrthiol, llwyddodd i ddianc heb unrhyw anafiadau. Ond bu farw wyth o'i ffrindiau da a'i gyd-chwaraewyr y noson honno, ynghyd â 15 o deithwyr eraill.

Llethwyd Bobby gan alar. Rai blynyddoedd yn ddiweddarach, dywedodd:

'Doedd bywyd byth yr un fath. Yn sydyn, roedd fy ffrindiau i gyd ar goll ... roedd o'n gyfnod trawmatig iawn i'r clwb.'

Roedd Bobby wedi goroesi ond roedd ei ffrindiau wedi marw. I ddechrau, soniodd am deimlo'n euog fod ei ffrindiau wedi marw ond ei fod yntau'n fyw, a doedd e ddim yn gwybod sut byddai byth yn chwarae eto. Fe gymerodd amser i ddygymod â'r peth. Roedd yn teimlo'r golled yn drwm, ac roedd yn anodd iddo fynegi ei deimladau oherwydd trawma'r ddamwain. Ond roedd pawb yn gyfarwydd â **dycnwch** Bobby. Dechreuodd ymddiried yn raddol yn ei gyd-chwaraewyr newydd, ac yn y pen draw, daeth y **meddylfryd galar** yn fwy cadarn. Dechreuodd gredu y gallai dyfu y tu hwnt i'r golled ofnadwy yma a dychwelodd i chwarae pêl-droed proffesiynol, gan weithio'n galed eithriadol. Er bod yna adegau poenus, byddai Bobby yn siarad yn rheolaidd am ei wyth cyd-chwaraewr a'i ffrindiau a fu farw'r noson honno. Roedd ganddo'r egni i ganiatáu i'w siglen alar gael ei gyrru'n ôl ac ymlaen wrth i'r tîm adeiladu o'r newydd.

Ddeugain mlynedd yn ddiweddarach, arweiniodd Bobby dîm Manchester United i fyny'r grisiau wrth i'r clwb ennill Cwpan Ewrop am y trydydd tro. Cyflwynwyd y gêm honno i'r 23 o bobl a fu farw yn namwain awyren München yn 1958. Daliodd Bobby ei afael ar yr emosiynau a'r atgofion am ei ffrindiau coll, ond llwyddodd hefyd i lacio'i afael, ailadeiladu tîm pêl-droed ac, wrth wneud hynny, ennyn balchder ei gyd-chwaraewyr. Pan oedd yn hŷn, byddai'n aml yn chwarae gyda'r timau ieuenctid. Efallai eu bod nhw'n ei atgoffa ohono'i hun ar ddechrau ei yrfa?

Am ddyn anhygoel.

PENNOD 3

COF CYFAREDDOL

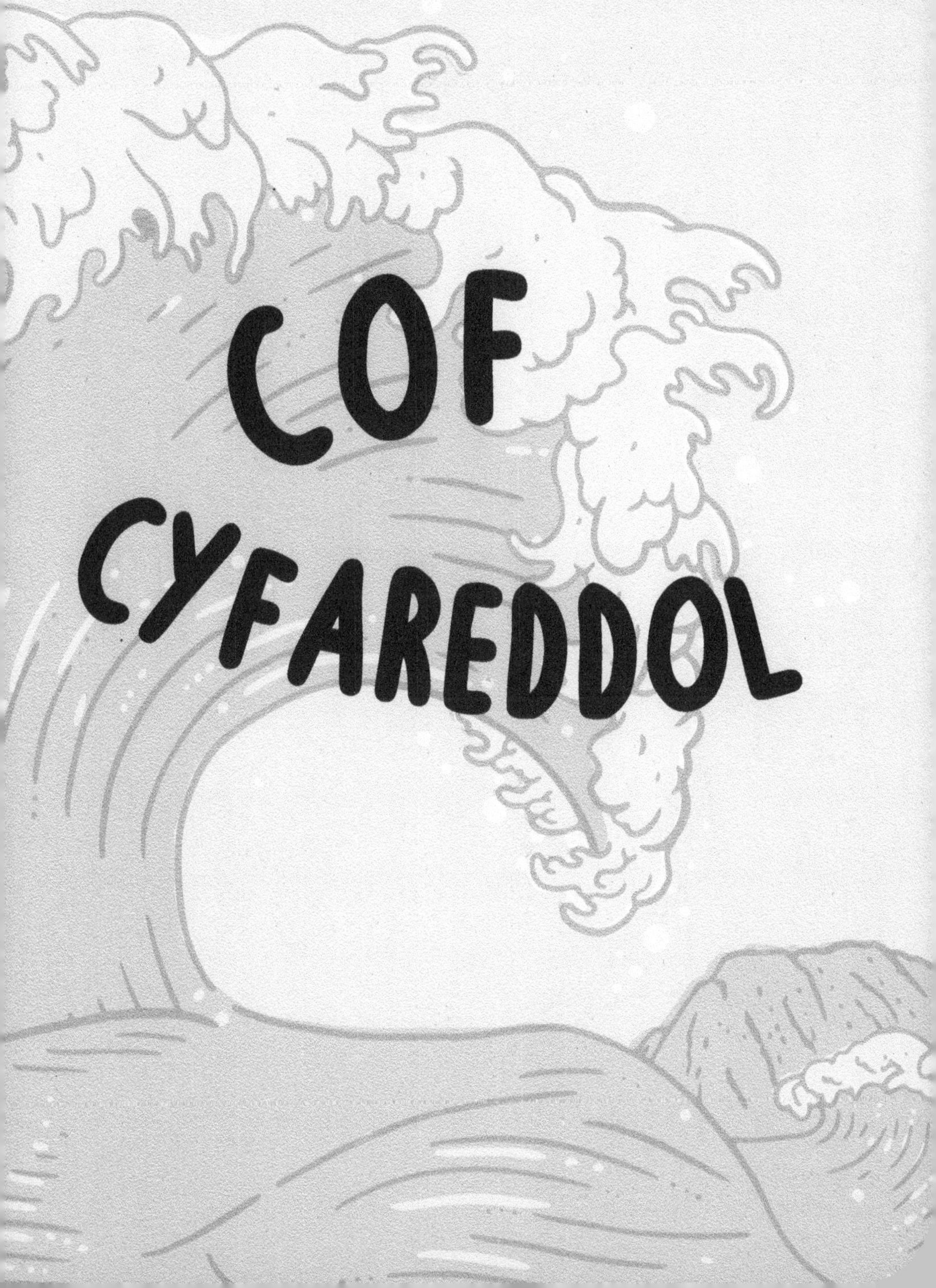

Mae gan bob un ohonon ni atgofion, ac mae atgofion yn gallu sbarduno gwahanol fathau o emosiynau. Mae rhai atgofion yn creu **llawenydd**, ond gall eraill fod yn drist neu'n fwy **lletchwith** neu boenus. Rydyn ni'n cofio'r digwyddiadau hapus hynny fel mwynhau gwledd ganol nos a gwersylla gyda ffrindiau, ac yna mae atgofion anoddach fel cael dy bigo gan wenynen a disgyn oddi ar dy feic i mewn i lwyn.

Mae'r un peth yn wir o ran cofio am y person sydd wedi marw. Rwyt ti'n gwybod erbyn hyn bod atgofion yn bwysig ar gyfer agwedd 'dal gafael' galar. Ond dydy'n hatgofion ni ddim i gyd yr un fath. Mae yna rai **atgofion galar** sy'n cynnig cysur, a byddi di eisiau dal dy afael ar y mathau hyn o atgofion am byth. Ond mae yna atgofion eraill sy'n gallu bod yn ofidus neu hyd yn oed yn drawmatig, ac mae angen i ni ddod o hyd i ffordd o'u cydnabod ac yn y pen draw, eu crebachu, er mwyn gallu eu rheoli nhw'n haws.

Cyhyr cof

Meddylia am hyn yn sydyn — faint o amser rwyt ti'n ei dreulio ar atgofion o'r person a fu farw sy'n sbarduno llawenydd a gwên, a faint o amser rwyt ti'n ei dreulio ar atgofion sy'n anoddach ac yn gwneud i ti deimlo'n anhapus? Ar dy daith alar, rwy'n mynd i dy helpu di i ddod o hyd i ffyrdd o wanhau pŵer yr atgofion anodd hynny. Mae siarad yn un ffordd o wneud hyn! Galli di leihau pŵer atgofion trist yn aruthrol drwy wneud dim ond siarad amdanyn nhw â rhywun rwyt ti'n ymddiried ynddo. Ond mae yna hefyd bethau eraill y galli di eu gwneud i ystwytho dy **gyhyr cofio** mewn ffordd gadarnhaol.

Mae rhai atgofion yn creu llawenydd, ond gall eraill fod yn drist neu'n fwy lletchwith neu boenus.

Tair carreg atgof

Un ffordd o gydbwyso gwahanol fathau o atgofion yw dewis tair carreg wahanol a dychmygu mai dyma yw dy 'gerrig atgof'. Fe fydd un yn garreg arw, un yn garreg gron a'r un arall yn emfaen neu garreg ychydig yn fwy deniadol na'r lleill. Mae pob carreg yn cynrychioli gwahanol fathau o atgofion.

Fe ddechreuwn ni gyda'r un hawdd — y **GARREG FACH**. Carreg gyffredin yw hon — carreg gron ac esmwyth y mae'n hawdd gafael ynddi. Mae digonedd ohonyn nhw i'w gweld yn y parc neu'r ardd. Mae'r garreg hon yn cynrychioli'r atgofion cyffredin, cysurlon am y person sydd wedi marw.

Chwilia am garreg fach a dechreua wneud rhestr yn dy lyfr nodiadau o atgofion dibwys a chyffredin sy'n cyd-fynd â'r garreg fach. I roi syniad i ti, dyma rai atgofion carreg fach rwy i wedi eu clywed gan eraill:

✳ Roedden ni wrth ein bodd yn mynd â'r ci am dro i ben y bryn bob bore.

✳ Byddai hi'n cael banana wedi'i sleisio ar ei huwd bob dydd.

* Roedden ni wastad yn gwylio'r ffilmiau *Toy Story* gyda'n gilydd.

* Roedd arogl sebon ac olew injan ar ei siwmper pan fyddai'n dod adref o'r gwaith.

* Roedd hi'n gogyddes ofnadwy — un tro, wnaeth hi adael cyw iâr wedi'i rostio yn y ffwrn am wythnos!

* Roedd Mam-gu a fi wrth ein boddau yn dysgu symudiadau dawns Bhangra Boogie newydd gyda'n gilydd. Roedd hi mor fywiog!

Mae'r ail garreg yn wahanol iawn i'r garreg fach syml. Mae'r **GARREG ARW** yn teimlo'n bigog ac yn boenus pan fyddi di'n gafael ynddi'n dynn. Chwilia am garreg fechan ag ymylon miniog. Mae'r garreg hon yn cynrychioli'r **adegau anoddach**, ynghyd ag ambell atgof penodol o'r ffordd y bu'r person farw, sy'n gallu codi ias.

Dyma rai atgofion garw y mae eraill wedi eu rhannu â fi:

* Roeddwn i'n gwersylla gyda'r Sgowtiaid y diwrnod y bu hi farw — roedd hi wedi bod yn sâl am gymaint o amser. Roeddwn i wedi addo i fy hun y byddwn i yno pan fyddai hi'n marw.

* Chefais i ddim ffarwelio pan fu farw o'r feirws yn yr ysbyty — roedd ar ei ben ei hun bach.

* Roedd Taid mewn cartref a doedd o ddim hyd yn oed yn fy adnabod mwyach.

* Roedd ganddi dymer ofnadwy, felly bydden ni'n cuddio yn y cwpwrdd.

✳ Roedd o wastad yn gweiddi arna i i dacluso fy ystafell, i fynd i dorri fy ngwallt a gorffen fy ngwaith cartref. Rwy'n flêr, ond doeddwn i ddim yn ei wylltio'n fwriadol.

✳ Fe ges i ffrae fawr â hi yn union cyn i'r ddamwain ddigwydd. Fe ddywedais i bethau cas. Pethau nad oeddwn i wir yn eu golygu.

Mae'n amlwg bod y garreg arw hon yn cynrychioli rhai atgofion eithriadol o **anodd**. Efallai nad oes gennyt ti atgofion o'r math hwn. Ond os oes gennyt ti atgofion anodd a phoenus tebyg, cofia ddweud wrth rywun rwyt ti'n ymddiried ynddo. Mae'n iawn i ti ofyn am help. Yn wir, rydyn ni'n gwybod erbyn hyn bod gofyn am help yn beth **dewr** i'w wneud. Rwyt ti ar dy fwyaf dygn pan fyddi di'n sylwi ar yr atgofion anodd yma ac yn penderfynu gwneud rhywbeth yn eu cylch nhw. Yn ddiweddarach yn y llyfr, mae adran gyfan ar y mathau anoddaf o atgofion (tudalennau 143–6). **Atgofion trawmatig** yw'r enw arnyn nhw. Yn aml, bydd angen cymorth proffesiynol arnat ti i fynd i'r afael â nhw, felly mae'n beth da sylwi arnyn nhw a gofyn am help.

Er nad yw'n hawdd, mae lle i'r garreg arw yn dy sach o gerrig atgofion. Mae'n bwysig cydnabod sut rwyt ti wedi ymdopi â'r atgofion anodd sydd wedi bod yn rhan o dy fywyd. Fe wnei di ddysgu siarad a rheoli'r atgofion hynny fel na allan nhw daflu cysgod dros yr atgofion sy'n ysgogi llawenydd, cysur a gwên. Sôn am lawenydd . . .

Mae un garreg fach arall ar ôl.
GEM liwgar yw'r drydedd garreg.

Mae'r em yno i dy atgoffa i ddal gafael ar yr holl **atgofion arbennig** a'r **amseroedd da** a gawsoch chi gyda'ch gilydd. Mae'n bosib y bydd pob math o bethau'n sbarduno'r atgofion hyn — lluniau, cerddoriaeth, adeg pan oedd y ddau ohonoch chi'n chwerthin lond eich boliau. Mae angen i ni ddal gafael yn dynn ar yr atgofion sy'n gwneud i ni wenu, hyd yn oed os ydyn nhw'n arwain at ddagrau o lawenydd. Maen nhw'n benodol iawn ac mae'n bwysig iawn casglu cymaint â phosib o atgofion sy'n cyd-fynd â'r em ar gyfer dy **focs atgofion**. Ryw ddydd, efallai y byddi di eisiau dweud wrth bobl amdanyn nhw i gyd, felly mae'n bosib y bydd angen i ti ofyn i lawer o bobl dy helpu i gofnodi'r adegau arbennig hyn. Weithiau, bydd pobl a oedd yn adnabod y person a fu farw yn gwybod straeon nad wyt ti wedi'u clywed, felly tafla dy rwyd yn eang i gasglu'r atgofion gwerthfawr hyn. Bydd yn **newyddiadurwr galar** i wneud yn siŵr bod gennyt ti gofnod digidol neu ysgrifenedig a fydd ar gael i ti am byth.

Mae'n annhebygol iawn y byddi di'n dod o hyd i'r garreg hon ar hap a damwain. Fe fydd yn rhaid i ti dalu arian amdani, neu beintio carreg yn lliw llachar. Rwy'n hoffi gemau o bob math — pa em wnei di ei dewis, tybed? Beth bynnag fydd dy ddewis, pan fyddi di'n ei dal hi yn dy law, bydd yn arwydd i dy atgoffa dy hun o atgofion arbennig.

Mae'r atgofion gem rwy wedi eu clywed yn cynnwys:

✳ Ein gwyliau. Roedd canŵio yn gymaint o hwyl. Roedd Mam yn wirion bost a buon ni'n troi mewn cylchoedd am hydoedd cyn iddi ddisgyn i'r dŵr!

88

✳ Roedd yr ysgol ar gau oherwydd eira trwm. Fe wnaethon ni angylion eira, gwylio *Incredibles 2* gyda'n gilydd a chael paned o siocled poeth blasus iawn.

✳ Roedd Taid yn gallu sefyll ar ei ddwylo yn 75 oed — roedd o mor ffit. Fe fyddai'n rhedeg ras yn fy erbyn i ac yn gadael i fi ennill.

✳ Roedd fy mrawd yn wych am chwarae'r drymiau — byddai'n chwerthin wrth i fi ddawnsio o gwmpas yr ystafell yng ngolau'r belen ddisgo wrth iddo ymarfer.

✳ Roedd Dad wrth ei fodd yn fy ngwylio i'n nofio. Byddai'n codi'n gynnar iawn i fynd â fi i ymarfer yn y pwll. Roedd o yno pan enillais i fy medal arian gyntaf.

Oes gennyt ti ambell **atgof gem** yn barod? Alli di feddwl am bobl a oedd yn adnabod dy berson di hefyd, a rhywrai a allai ychwanegu atgofion mwy arbennig at dy focs atgofion? Rwy'n dal i gario sach fach o gerrig atgofion yn fy mag, ac os ydw i'n cael diwrnod anodd, rwy'n eu rhoi ar gledr fy llaw ac yn fy atgoffa fy hun i feddwl am rywbeth heblaw atgofion anodd. Pan fyddi di'n teimlo'n isel, gafaela yn dy gerrig atgofion a meddylia am yr atgofion sy'n gwneud i ti wenu.

Yn ogystal â dy gerrig atgofion a chofnodion o dy atgofion arbennig — beth arall alli di ei gadw yn dy **focs atgofion** a fydd yn gwneud i ti wenu ac yn dy helpu i deimlo cysylltiad â'r person sydd wedi marw?

Dyma rai syniadau:

✳ Cerdyn neu lythyr neu neges fer

✳ Rhywbeth wedi'i ysgrifennu i ti, efallai

✳ Fideos y galli di eu golygu a'u cadw
mewn lle diogel

✳ Potel o bersawr neu bersawr siafio

✳ Siwmper feddal neu sgarff i ti afael yn dynn ynddi

✳ Lluniau. Llond gwlad ohonyn nhw. Yn enwedig
lluniau ohonoch chi gyda'ch gilydd.

✳ Gemwaith: oriawr neu bethau bach eraill
sy'n dy atgoffa o rywbeth pwysig.

✳ Rhywbeth rwyt ti'n hoff ohono oedd
yn eiddo i'r person ac mae caniatâd
i ti ei gadw yn dy focs.

Roedd merch rwy'n ei hadnabod o'r enw Livvi yn darllen llythyr yn uchel, llythyr a adawodd ei mam iddi pan oedd hi'n gwybod ei bod hi'n debygol o farw. Â gwên ar ei hwyneb a dagrau'n rowlio i lawr ei bochau, dywedodd Livvi, 'Fel mae'n digwydd, rwy'n hoffi hyn — mae'r rhain yn **ddagrau hapus**'. Mae'n debyg bod hyn yn ei helpu i deimlo'n agos at ei mam, ac yn lleddfu'r ofnau y byddai rywsut yn anghofio atgofion pwysig amdani. Hyd yn oed os ydyn nhw'n gwneud i ti deimlo'u colli nhw, mae'n dda gwybod dy fod ti'n dal gafael ar yr adegau arbennig hyn.

Fe alli di hefyd wneud rhyw fath o waith celf a chrefft — galli di ofyn i berthnasau neu ffrindiau dy helpu gyda hyn. Cafodd Adil obennydd meddal hyfryd wedi'i greu o grysau-T ei daid. Roedd yn ei gadw ar ei wely, wedi'u guddio ychydig o dan ei obennydd arferol. Mae **dal gafael** ar atgofion yn rhan bwysig a phleserus o droi dy focs atgofion yn drysor amhrisiadwy.

Dyddiadau i'w cofio

Rydyn ni wedi edrych ar atgofion o'r gorffennol. Nawr, rydyn ni'n mynd i edrych ar sut i greu **atgofion newydd** a dal i gynnwys y person sydd wedi marw. I egluro pwysigrwydd gwneud hyn, rwy'n mynd i siarad am ddau Harry.

Yr Harry cyntaf yw mab y Brenin Charles III. Bu farw ei fam, y Dywysoges Diana, pan oedd y **Tywysog Harry** yn 12 oed. Pan oedd yn trefnu ei briodas, roedd yn bwysig iawn i'r Tywysog Harry gynnwys atgofion o'i fam mewn sawl ffordd hyfryd. Bu'n meddwl yn galed am greu atgofion gem. Trefnodd Harry a'i ddarpar wraig, Meghan, i'r blodau ar gyfer y briodas gael eu casglu o hen ardd y Dywysoges Diana. Gofynnodd y Tywysog Harry am emyn a oedd hefyd yn rhan o wasanaeth angladd ei fam. Gwisgai Meghan fodrwy *aquamarine* hardd a oedd yn perthyn i'w fam. Roedd y Tywysog Harry yn **dal gafael** ac yn **llacio gafael** yn ei ffordd ei hun. Sylweddolodd sut i symud ymlaen â'i fywyd gan ddal i gysylltu â'i orffennol. Weithiau, mewn dathliadau mawr fel priodasau, rydyn ni'n gofyn i ni'n hunain, 'Ydw i'n cael bod yn hapus os nad ydyn nhw yma?'

Wrth gwrs dy fod ti! Dyna'n union fydden nhw ei eisiau. Dal gafael **a** llacio gafael **a** chael hwyl.

Nesaf, dyma Harry arall a gollodd anwyliaid yn ystod ei blentyndod hefyd.

Awchu dealladwy

Wyt ti wedi darllen llyfrau Harry Potter neu wedi gwylio'r ffilmiau?

Yn y llyfr cyntaf, *Harry Potter a Maen yr Athronydd*, rydyn ni'n dysgu bod gan ddewin ifanc o'r enw Harry awydd cryf i weld ei rieni. Mae Harry yn amddifad — cafodd ei rieni eu lladd pan oedd yn flwydd oed, sy'n arbennig o anodd. Mae'n darganfod drych **UCHWA**, sef **'AWCHU'** wedi ei sillafu am yn ôl (*Erised / Desire* yn y fersiwn Saesneg wreiddiol).

Mae Dumbledore, prifathro ysgol Harry, yn deall hiraeth Harry am ei rieni. Mae ei awydd i weld ei rieni a chael atgofion ohonynt yn boenus. Mae'n ei frifo bob dydd. Mae Dumbledore yn awgrymu'n dawel wrth Harry am beidio ag ymdroi yn y gorffennol rhag ofn iddo anghofio byw yn llawn yn y presennol. Efallai fod Dumbledore eisiau i Harry allu siglo o **wlad y golled** i **wlad yr ailadeiladu.**

Os wyt ti wedi gweld y ffilm neu ddarllen y llyfr, mae'n bosib dy fod ti'n cofio Harry yn edrych yn nrych Uchwa ac yn gweld ei rieni am y tro cyntaf ers iddyn nhw farw. Roedd yn brofiad anhygoel ond torcalonnus ar yr un pryd.

> **Wyt tithau hefyd yn awchu am weld dy berson unwaith eto? I afael ynddyn nhw, eu cofleidio a'u cyffwrdd? Mae'r hiraeth yma'n arbennig o anodd ar ddyddiadau pwysig pan fyddwn ni'n dymuno cael eu cwmni**

Efallai nad yw'r pwerau gennym ni i greu drych hudolus Uchwa, ond mae'n ddefnyddiol i ti greu dy restr dy hun o **ddyddiadau i'w cofio.** Dyddiadau pan fyddwn ni'n colli'r person sydd wedi marw, er enghraifft y diwrnod y bu farw, ei ben-blwydd, dy ben-blwydd di. Yna mae'r dyddiadau **mawr** arbennig sy'n digwydd o bryd i'w gilydd

— dyddiau dathlu mawr fel priodasau — lle rwyt ti eisiau meddwl am ffordd i'w cynnwys a sut i gael hwyl hefyd.

Mae brawd y Tywysog Harry, y **Tywysog William**, yn cadw atgofion am ei fam, y Dywysoges Diana, yn fyw gyda'i blant ar Sul y Mamau. Mae ei dri phlentyn yn creu darluniau ac yn ysgrifennu llythyrau at eu 'nain Diana' er mwyn i William nodi Sul y Mamau. Er iddi farw cyn iddyn nhw gael eu geni, mae William wedi gwneud ei fam yn rhan o'u bywyd nhw hefyd, gan gadw'r atgofion yn fyw mewn ffordd gysurlon.

Dyddiadau pwysig

✳ Dyddiad eu marwolaeth (pen-blwydd eu marwolaeth)

✳ Penblwyddi

✳ Dysgu sgìl newydd neu ymaelodi â chlwb newydd

✳ Tripiau diwrnod a gwyliau

✳ Dathliadau crefyddol

✳ Babi newydd yn y teulu

✳ Dy lwyddiannau — er enghraifft, pasio arholiadau, symud i'r ysgol uwchradd

✳ Dathliad teuluol arbennig fel priodas neu seremoni raddio

Pa fath o ddyddiadau allai fod yn bwysig i ti, ond sy'n anodd heb y person sydd wedi marw? Cydia yn dy lyfr nodiadau neu dy ddyddiadur ffôn a gwna nodyn o'r holl ddyddiadau pwysig yn ystod y flwyddyn nesaf.

Pa ddyddiadau eraill allai fod yn arbennig o bwysig sydd ar goll o'r rhestr uchod? Gofynna i dy deulu a dy ffrindiau. Mae'n bosib eu bod nhw eisoes yn meddwl am ddyddiadau nad ydyn nhw'n edrych ymlaen atyn nhw heb y person sydd wedi marw. Mae angen i chi lunio cynllun ar y cyd fel eich bod chi'n gallu helpu eich gilydd i ymdopi ar y dyddiadau hyn.

Dyma dri syniad i'w trafod â dy deulu neu dy ffrindiau i nodi dyddiadau pwysig.

✳ Cynnau cannwyll

Gofynna i oedolyn dy helpu i ddewis cannwyll arbennig, un ag arogl hyfryd efallai, i'w chynnau ar ddyddiadau pwysig. Mae rhai pobl yn cynnau cannwyll wrth ymyl llun (neu luniau) o'r sawl sydd wedi marw. **Pwynt ymarferol**: cofia fod rhaid cynnau unrhyw gannwyll yn ddiogel gydag oedolyn yno i oruchwylio, clyma dy wallt yn ôl a'i gadw oddi wrth y fflam. Paid byth â gadael cannwyll mewn ystafell heb neb yn cadw llygad arni hi.

✳ Cyfle i ddweud gair neu ddau

Mae rhai pobl yn hoffi gwneud araith fach ar achlysuron arbennig a chynnig llwncdestun i 'ffrindiau absennol'. Term am bobl sydd wedi marw yw hwn, gan godi gwydraid o rywbeth arbennig. Mae'n ffordd gyhoeddus o dreulio ennyd yn dweud dy fod ti'n gweld colli rhywun cyn symud ymlaen a dathlu'r achlysur.

✳ Derbyn her i godi arian

Fe allai fod yn rhywbeth sy'n hwyliog ac yn egnïol, yn hawdd neu'n anodd. Beth bynnag sy'n teimlo'n iawn i ti. Efallai y byddi di hefyd eisiau rhoi gwybod i bobl y gallan nhw dy gefnogi i godi rhywfaint o arian ar gyfer elusen agos at dy galon, neu un a oedd yn bwysig i dy berson di.

Cafodd Tyler Westlake ei sgubo oddi ar y creigiau gan don wrth bysgota gyda ffrindiau. **Fe gawson nhw eu llorio'n llwyr gan ei farwolaeth.** Bedwar mis yn ddiweddarach, fe benderfynon nhw ddweud diolch i'r bobl a fu'n chwilio amdano am 48 awr. Trefnwyd marathon gemau fideo 24 awr i godi arian i'r RNLI (Sefydliad Cenedlaethol Brenhinol y Badau Achub). Penderfynodd y ffrindiau ar yr enw 'The T Boys' i'r grŵp ar ôl eu ffrind gorau Tyler. Roedden nhw i gyd wrth eu boddau â'r môr, syrffio a physgota, ac yn dweud y byddan nhw'n gweld colli nosweithiau yn chwarae gemau gyda'i gilydd. Felly, roedd eu marathon chwarae gemau i godi arian yn cysylltu'n wych â'u hamser gyda'i gilydd ac yn ffordd o ddweud diolch i'r elusen achub a diogelwch ar y môr.

Hyd yn hyn, rydyn ni wedi edrych ar y ffyrdd niferus o ddal gafael ar atgofion a chreu'r hyn y mae arbenigwyr galar yn ei alw'n **gysylltiad parhaus** neu'n **gwlwm parhaus** â'r person sydd wedi marw.

Bydd syniadau syml fel y rhai uchod yn ffordd o gadw cysylltiad, yn enwedig ar ddyddiadau pan fyddi di'n meddwl bod y byd wedi symud ymlaen, a thithau yma ar dy ben dy hun yn gweld eu colli.

Hyd yn oed os nad yw rhywun yn gallu bod wrth dy ochr mwyach, maen nhw'n gallu bod yn dy galon. Fe alli di fynd â nhw gyda ti.

Mae pobl yn parhau i fyw ym mywydau'r bobl a oedd yn eu caru.

Y tu hwnt i'r garreg arw

Ailadeiladu dy fywyd ar ôl marwolaeth drwy hunanladdiad

Bob dydd yn y Deyrnas Unedig, mae wyth o blant yn colli rhiant drwy hunanladdiad. Hunanladdiad yw pan fydd rhywun yn lladd ei hun yn fwriadol. Mae *Beyond the Rough Rock* yn deitl llyfr gan yr elusen profedigaeth Winston's Wish i helpu teuluoedd i wneud synnwyr o farwolaeth sy'n gallu bod yn arbennig o boenus. Er mwyn egluro ychydig mwy am y math yma o alar, rwy am dy gyflwyno i ddau berson sydd wedi gweithio'n galed, a defnyddio eu holl **gyhyrau galar** gwahanol, i wneud yn siŵr nad yw eu carreg arw finiog yn boddi eu hatgofion eraill am eu tadau a fu farw drwy hunanladdiad. Dewch i ni gwrdd â Ruben a Dawn.

Ruben

Roedd Ruben yn dair oed pan laddodd ei dad ei hun. Siaradais ag ef 35 mlynedd yn ddiweddarach i weld beth fuodd yn arbennig o anodd iddo fel plentyn, ac esboniodd:

'Pan oeddwn i'n tyfu i fyny, doedd neb wir yn siarad am hunanladdiad, a chymerodd hi amser i mi ddeall beth oedd wedi digwydd. Hyd yn oed fel bachgen ifanc, roeddwn i'n teimlo'n "wahanol" ac yn gwybod nad oedd yn rhywbeth hawdd i siarad amdano. Ar y dechrau, roeddwn i'n meddwl nad oedd fy nhad yn fy ngharu i neu fy mod i wedi gwneud rhywbeth o'i le. Roedd cywilydd arna i. Mae'n cymryd amser i gael gwared ar gywilydd. Yn y pen draw pan oeddwn i tua wyth oed, roeddwn i'n ddigon dewr i ofyn. Roedd fy mam a fy chwiorydd mor dda. Fe wnaethon nhw fy helpu i weld nad oedd bai arna i am ei farwolaeth. Roedd Dad wedi dechrau dioddef o salwch meddwl, a digwyddodd pethau eraill a wnaeth y sefyllfa'n waeth. Fe gymerodd amser hir i fi weld nad oedd yn fai ar neb. Ddim yn fai arna i, ddim yn fai arno ef, ddim yn fai ar unrhyw un. Dim byd ond llwyth o bethau trist, pethau brawychus, a chymerodd hi gryn amser i ni i gyd i wneud synnwyr ohonyn nhw. Fe wnaethon ni roi'r gorau i ofyn "pam" ac erbyn hyn, rydyn ni'n canolbwyntio ar atgofion mwy dymunol a'r amseroedd da.'

Erbyn hyn, mae Ruben yn ei chael hi'n haws meddwl am ei dad, ac mae'n gallu esbonio ei stori i bobl mae'n ymddiried ynddyn nhw. Ond ei neges syml i'r rhan fwyaf o bobl yw 'bu farw fy nhad yn sydyn pan oeddwn i'n dair oed, felly roedd hi'n anodd iawn i'n teulu ni.'

Mae angen llawer o **ddewrder** ac **ymarfer** ar y cyhyr meddylfryd galar fel y gall teuluoedd siarad yn agored am hunanladdiad. Mae bai, cywilydd a dicter yn gallu codi, tuag at ei gilydd ac weithiau tuag at y sawl sydd wedi marw. Pan fydd marwolaeth yn arbennig o gymhleth, fel hunanladdiad neu lofruddiaeth, yn aml mae'n well gan bobl ifanc gyfarfod mewn grŵp ag eraill sydd wedi cael profiad o'r un math o farwolaeth. Mae'n gallu bod yn help go iawn i ti ac eraill i symud ymlaen. Bydd staff y llinellau cymorth yng nghefn y llyfr hwn yn gallu siarad â ti am dy sefyllfa ac awgrymu rhai camau i'w cymryd.

Dawn French

Efallai dy fod ti'n gyfarwydd â Dawn, sy'n actor ac awdur comedi. Mae ganddi **wên gynnes** ac mae'n gallu bod yn ddireidus iawn hefyd. Roedd Dawn wrth ei bodd yn chwarae'r portread o'r Fenyw Dew yn un o ffilmiau Harry Potter. Mae hi wastad wedi gallu chwerthin ar ei phen ei hun, ac mae'n creu cymeriadau rhyfeddol o ddoniol fel y ficer siriol yn *The Vicar Of Dibley*.

Mae Dawn hefyd yn gwybod o brofiad fod pobl sy'n marw yn ystod ein plentyndod yn gallu dylanwadu ar ein bywydau. Pan oedd hi'n tyfu i fyny, roedd hi weithiau'n teimlo nad oedd hi'n edrych yr un fath â'r merched eraill, ac nad oedd hi'n cael cymaint o sylw â nhw. Mae hi wedi sôn am sut roedd ei thad yn sensitif i'w theimladau ac eisiau sicrhau na fyddai hi **byth** yn dioddef o ddiffyg hyder. Yn ei hunangofiant, mae hi'n cofio ei eiriau rhyfeddol o garedig pan oedd hi yn ei harddegau cynnar, geiriau na wnaiff hi byth eu hanghofio. 'Fe wnaeth i fi eistedd lawr a dweud wrtha i fy mod i'n brydferth, mai fi oedd y peth mwyaf gwerthfawr yn ei fywyd, a'i fod yn falch o fod yn dad i mi.'

Fodd bynnag, chwe blynedd yn ddiweddarach, pan oedd Dawn yn dal yn ei harddegau, bu farw ei thad yn sydyn. Roedd hi wedi cael ei hamddiffyn rhag y ffaith bod ei thad wedi brwydro iselder dwys am gyfnod maith. Yn y pen draw, aeth y salwch yn ormod iddo a bu farw'n dawel yn ei gar wrth anadlu carbon monocsid. Rydyn ni'n galw'r math yma o farwolaeth yn hunanladdiad. Mae pobl weithiau'n disgrifio'r galar yn sgil hunanladdiad fel craith arbennig — craith sy'n cymryd amser hir i beidio brifo.

Ar ôl tyfu'n oedolyn, daeth Dawn yn awdur llwyddiannus hefyd. Yn ei llyfr cyntaf, penderfynodd ysgrifennu am ei bywyd. Ysgrifennodd ei chyfrol ar ffurf cyfres o lythyrau at bobl a oedd yn bwysig yn ei bywyd. Hawdd deall mai llythyr at ei thad oedd y llythyr cyntaf yn y llyfr.

'Felly, rwyt ti wedi marw o hyd. Mae 31 o flynyddoedd wedi mynd heibio ac mae'n rhaid i fi atgoffa fy hun o'r ffaith honno bob dydd, a phob dydd rwy'n cael sioc ... Dydw i ddim yn 19 bellach, Dad, ac mae cymaint o bethau wedi digwydd nad wyt ti'n ymwybodol ohonyn nhw, felly penderfynais i ysgrifennu'r llyfr hwn i ti. Roeddwn i eisiau cofio ein hamser gyda'n gilydd ac rwy eisiau sôn am lawer o bethau sydd wedi digwydd ers hynny. Hyd yn hyn, mae'n well na'r disgwyl ...'

Fe alli di weld sut mae Dawn bellach wedi **cydbwyso** ei thair carreg atgof — mae hi wedi gwneud digonedd o le i sylwi ar y pethau doniol sy'n digwydd bob dydd a'r atgofion gwirioneddol arbennig hynny sy'n golygu cymaint. Mae hi eisiau rhannu pob un ohonyn nhw â'i thad, a'i llyfr yw ei ffordd hi o wneud hynny.

Gobeithio, ymhen amser, y byddi di hefyd yn dod o hyd i ffordd o adael i dy holl atgofion gydorwedd yn gyfforddus â'i gilydd. Mae lle i'r 'cerrig' yn dy stori di, ond mae'n bwysig nad ydyn nhw'n llyncu'r holl le yn dy gof. Mae'n bwysig hefyd i ti fagu'r hyder i **garu dy hun** yn yr un ffordd bwerus ag y dysgodd Dawn a Ruben wneud hynny. Fe allet ti hyd yn oed ddechrau cadw dyddiadur neu sgwrsio â dy berson allan yn uchel, fel y galli di sôn wrthyn nhw am yr holl bethau pwysig sy'n digwydd yn dy fywyd.

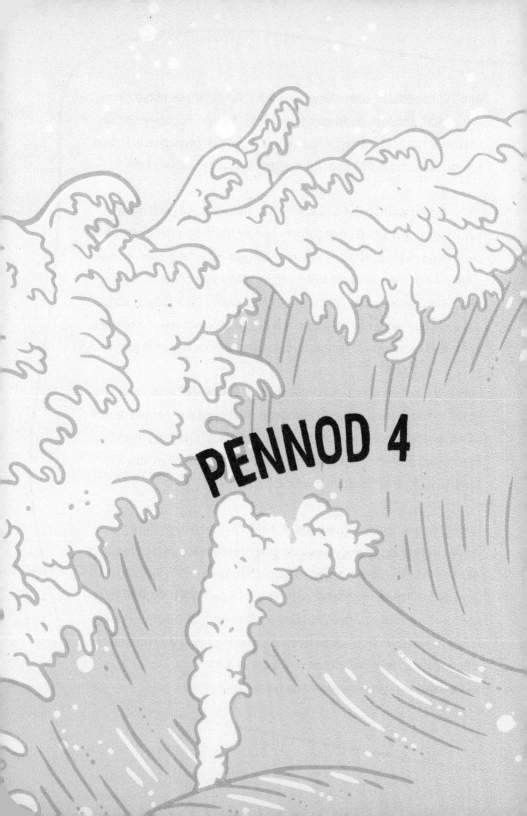

PENNOD 4

DOD YN FÔS AR GOLLED

Rydyn ni wedi ystwytho'r cyhyr ymddiriedaeth, hogi cyhyr hyder a datblygu'r cyhyr cofio – nawr mae'n bryd meddwl am ddau gyhyr pwysig arall: y cyhyr **dycnwch** a'r cyhyr **meddylfryd galar**. Bydd y rhain yn dy helpu i ddod yn **tôs ar golled**.

Ers i'r person yn dy fywyd farw, mae'n bosib bod llawer o bethau eraill yn mynnu dy sylw di bellach. Pethau nad wyt ti wedi sylwi arnyn nhw o'r blaen. Pethau syml roeddet ti'n eu cymryd yn ganiataol ar un adeg. Pethau sy'n gallu achosi pryder i ti erbyn hyn. Pan fyddwn ni'n galaru, bydd ein meddwl yn dechrau gweithio ar wib ac yn dechrau gofyn pob math o gwestiynau sy'n aml yn amhosib eu hateb. Maen nhw'n gallu ymwneud â phethau cymharol fach fel, 'Beth os gwna i anghofio pacio fy nillad chwaraeon ddydd Mercher?' neu 'Beth anghofia i gloi'r drws ffrynt?' i bryderon llawer mwy fel, 'Beth os bydd rhywun arall yn marw?', 'Beth os wna i ddechrau crio yn yr ysgol pan na fydda i eisiau gwneud hynny?' neu 'Beth os gwnaiff y criw ddechrau pigo arna i eto?'

Y gwir amdani yw bod galar yn gallu bod yn **rhoddwr egni** ac yn **amsugnwr egni**, yn dibynnu ar sut rwyt ti'n meddwl amdano.

Cyhyr meddylfryd galar

Rydyn ni'n gwybod bod galar yn ein blino ni, felly mae angen i ni ddod o hyd i ffyrdd da o dy helpu di i gadw dy egni. Fe ddechreuwn ni drwy geisio dy helpu i gipio'r pryderon hynny a'i gwneud hi'n haws i ti sylwi ar y meddyliau sy'n amsugno dy egni. Dydy'r rhain ddim yn deimladau dymunol; maen nhw hefyd yn lleihau dy hyder a dy allu i ymddiried mewn pobl. Ond mae meddyliau cadarnhaol yn cynyddu ymddiriedaeth ac yn gallu gwneud i ti deimlo cymaint yn gryfach.

Mae'n ffaith.
Mae sut rydyn ni'n <u>meddwl</u> yn effeithio ar sut rydyn ni'n <u>teimlo</u>, ac mae hynny'n effeithio ar sut rydyn ni'n <u>ymddwyn</u>.

Dyma enghraifft sydyn o sut mae'r meddyliau a'r teimladau hyn yn aml yn gallu **troelli** allan o reolaeth, gan wneud i ti deimlo'n ynysig ac ar goll. Fe fyddwn ni wedyn yn edrych ar sut i edrych ar y meddyliau a'r teimladau hynny o safbwynt gwahanol, mwy cadarnhaol. Drwy wneud hyn, er dy fod ti'n delio â'r un sefyllfa yn union, mae'r adnoddau gennyt ti i ddelio â'r sefyllfa mewn ffordd sy'n golygu mai **ti** yw'r bòs, nid dy emosiynau!

Dychmyga fod tair wythnos wedi mynd heibio ers i dy berson farw, ac am y rhan fwyaf o'r amser hwnnw rwyt ti wedi aros yn y tŷ. Am y tro cyntaf, rwyt ti newydd fynd allan am dro gyda dy gi. Draw yn y pellter, ar yr ochr arall i'r ffordd, rwyt ti'n gweld dau ffrind yn chwerthin ac yn tynnu coes am rywbeth. Fel arfer, maen nhw'n chwerthin fel pethau gwirion. Ond heddiw, maen nhw'n cerdded heibio.

Dychmyga mai dyma sy'n digwydd yn dy ben di:

SYNIAD:
Wnaethon nhw ddim hyd yn oed codi llaw na dweud helô, rhaid nad ydyn nhw eisiau i fi fod yn ffrind iddyn nhw bellach

YMDDYGIAD:
Rwy'n mynd adre a dweud wrth Mam nad ydw i'n barod i fynd 'nôl i'r ysgol. Rwy'n mynd i eistedd yn fy ystafell â'r llenni ar gau.

TEIMLAD:
Gwag ac unig. Dig. Siomedig.

Nawr, gad i ni newid hynna. Mae'r un peth wedi digwydd ond y tro yma rwyt ti'n mynd i feddwl amdano ychydig yn wahanol. Barod?

SYNIAD:
Sbïwch arnyn nhw, yn chwerthin a thynnu coes fel arfer. Wnaethon nhw ddim hyd yn oed yn fy ngweld i. Fe af i â'r ci am dro ac anfon neges atyn nhw ar ôl cyrraedd adref. Fe fyddai'n wych eu gweld nhw. Mae angen rhywbeth i godi fy nghalon.

YMDDYGIAD:
Pan wnes i anfon neges atyn nhw, ges i ymateb yn syth. Roedden nhw'n falch o glywed gen i ac yn gofyn a fyddai hi'n iawn iddyn nhw ddod draw i chwarae heno.

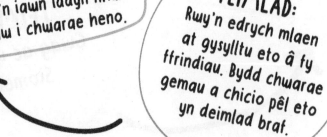

TEIMLAD:
Rwy'n edrych mlaen at gysylltu eto â fy ffrindiau. Bydd chwarae gemau a chicio pêl eto yn deimlad braf.

Glar yn erbyn Galar

Wyt ti'n gweld sut mae dy ymennydd yn gallu ymdrin â'r un sefyllfa'n union mewn dwy ffordd wahanol? Mae un yn dechrau gyda **meddwl negyddol**, a'r llall yn **fwy cadarnhaol**. Mae'r ffordd rwyt ti'n meddwl yn gallu newid sut rwyt ti'n teimlo, a sut rwyt ti'n ymddwyn, yn llwyr. Anhygoel, tydi? Drwy ganolbwyntio ar y ffordd rwyt ti'n ymdrin â rhywbeth ac edrych arno o safbwynt gwahanol, mwy cadarnhaol, galli di deimlo cymaint yn well am rywbeth a allai fod wedi gwneud i ti deimlo'n drist iawn fel arall.

Ond rydyn ni i gyd yn cael meddyliau negyddol weithiau, ac mae'n gallu bod yn anoddach delio â nhw pan fyddi di'n galaru. Y meddyliau negyddol hyn yw'r rhai sy'n ymddangos fel pe baen nhw'n llyncu dy egni ac yn cael effaith fawr ar dy hwyliau. Maen nhw'n gallu gwneud i ti deimlo'n **anobeithiol** ac **ar goll**. O ran galar, rwy'n hoffi dychmygu'r **amsugnwr egni** fel **Glar**, coblyn galar barus. Mae Glar eisiau i ti gael teimladau dinistriol sy'n gwneud i ti deimlo'n wag ac yn ddiegni.

Fe fydd Glar yn dwyn dy egni.

Mae **meddyliau Glar** yn dechrau hel pan fyddi di'n isel dy ysbryd. Pan fyddi di wedi blino ac wedi cael llond bol. Ei bwrpas yw gwneud i ti gael meddyliau anodd sy'n arwain at deimladau beichus, fel dy fod ti'n teimlo dicter tuag atat ti dy hun a phobl eraill. Mae meddyliau Glar yn gaeth iawn, yn wahanol i dy rai di, sydd fel arfer yn agored a chwilfrydig. Ond rydyn ni ar fin darganfod sut galli di sylwi ar feddwl Glar a'i reoli.

Beth yw'r gwahaniaeth hanfodol rhwng **Glar** a **Galar**?

Ie! Rwyt ti'n iawn – dim ond un llythyren, **A!**

A am Amsugno Egni

Mae meddyliau Glar yn **amsugno egni**, fel peiriant sugno llwch sy'n llyncu dy egni. Ei fwriad yw gwneud i ti deimlo'n wag a dwyn dy egni. Mae angen sylwi ar ei ffordd ddi-fudd o feddwl, ei ddal a'i roi mewn bocs, gan roi'r cyfle i ti hyfforddi ac ystwytho dy **feddylfryd galar** yn llawn. Y meddylfryd sy'n dy helpu i edrych ymlaen â mwy o egni a gobaith.

Gad i fi ddangos i ti sut i ddatblygu dy allu i sylwi ar Glar. Edrycha ar y meddyliau ar y tudalennau nesaf a dychmyga pa mor wahanol y gallet ti deimlo wrth ddilyn meddyliau a chredoau meddylfryd galar yn hytrach na ffordd Glar o feddwl.

Meddyliau Glar

Mae Taid wedi marw, mae bywyd yn wael, fydd bywyd teuluol BYTH yr un fath a BYTH cystal eto.

Meddylfryd galar

Mae bywyd wedi newid cryn dipyn ers i Taid farw. Rydyn ni'n trio'n galed i gefnogi ein gilydd a chael amser da gyda'n gilydd.

Meddyliau Glar

Beth os yw Mam yn cyfarfod â rhywun a'u bod nhw'n symud i fyw gyda'i gilydd? Dydw i ddim eisiau tad neu fam newydd neu frodyr a chwiorydd newydd. Fe fyddai hynny'n ofnadwy.

Meddylfryd galar

Petai Mam yn cyfarfod â rhywun arall, fyddai o ddim yn cymryd lle Dad. Byddwn i'n gwneud fy ngorau glas i ddod i adnabod ei phartner newydd a thrafod y sefyllfa â hi. Mae fy ysgol a fy ffrindiau'n bwysig i fi ar hyn o bryd, felly mae'n rhaid i Mam ddeall nad ydw i eisiau symud.

Meddyliau Glar

Rwy'n poeni'n ofnadwy am grio o flaen fy nghyd-ddisgyblion wrth feddwl am fy ffrind. Byddan nhw'n meddwl fy mod i'n wirion ac yn wan.

Meddylfryd galar

Pe bawn i'n crio o flaen fy ffrindiau, fyddai hi ddim yn ddiwedd y byd. Maen nhw'n gwybod ei fod yn gwbl naturiol, ac os gwna i grio'n gyhoeddus, wnaiff y dagrau ddim llifo am gyfnod mor hir â hynny.

Meddyliau Glar

Mae pawb heblaw amdana i'n byw mewn teulu hapus. Mae'n gas gen i wylio'r hysbysebion Nadolig ar y teledu, gyda'r holl deuluoedd hapus. Bellach, dim ond Mam a fi sydd yna. Mae hi'n gorfod gwneud dwy swydd. Does neb yn deall faint rwy'n colli fy nain.

Meddylfryd galar

Roedd fy nain yn berson arbennig iawn i fi. Roedd hi'n gymaint o help i fi pan oedd pethau'n anodd ar ôl i Dad adael, gyda Mam yn gorfod treulio amser oddi cartref oherwydd ei gwaith. Efallai y dylwn i sôn mwy wrth fy ffrindiau pam mae ei marwolaeth wedi cael cymaint o effaith arna i.

Meddyliau Glar

Gofynnodd Mam beth roeddwn i am ei wneud i feddwl am fy mrawd ar ei ben-blwydd. 'Dim byd' oedd fy ateb. Pam mae hi'n GWNEUD imi sôn amdano? Rwy'n casáu'r teimladau hyn. Rwy'n casáu'r ffaith ei fod o ddim yma.

Meddylfryd galar

Roeddwn i'n gwybod y byddwn i'n gweld colli fy mrawd ar ei ben-blwydd. Ar ôl i Mam a fi drafod y peth, penderfynon ni gael ei hoff bryd bwyd (byrger a tships) a chynnau cannwyll. Rwy'n gweld ei golli, a Mam hefyd. Roedd o'n frawd gwych, bydden ni'n ffraeo'n aml ac rwy'n dal i weld ei golli'n fawr.

Wyt ti'n gweld? Wyt ti'n sylwi pa mor negyddol yw meddyliau Glar, ac ar y llaw arall, sut deimlad yw bod â meddylfryd galar cadarnhaol a gweithgar?

Mae **meddyliau Glar** yn amsugno dy egni ac yn dy lethu'n llwyr, gan effeithio ar dy hyder a dy frwdfrydedd.

Mae **meddylfryd galar**, ar y llaw arall, yn gallu dy helpu i gael yr egni i wynebu'r dyfodol a dal gafael ar gredoau a fydd yn dy gryfhau. Pan wyt ti yng nghanol storm, mae'n pwyntio'r cwch i gyfeiriad dyfroedd tawelach. Rwyt ti'n tyfu gyda dy alar yn hytrach na chael dy flino a dy lethu ganddo.

Efallai y bydd hi'n fuddiol i ti gyfarfod â phlant eraill sy'n galaru hefyd. Pan gei di gyfle i sgwrsio ag eraill, fe weli di'n ddigon buan fod pawb yn cael trafferth i drechu'r meddylfryd hwn sy'n amsugno cymaint o egni ar ôl i rywun farw. Mae pobl ifanc wastad wedi sôn bod cyfarfod ag eraill mewn sefyllfa debyg yn help mawr. Mae'n adeiladu dy **hyder** oherwydd dy fod ti'n gwybod nad oes angen troedio'n ofalus — rydych chi i gyd yn yr un sefyllfa, yn chwilio am ffordd ymlaen.

Gofynna i oedolyn ffonio'r llinellau cymorth ar ddiwedd y llyfr os wyt ti eisiau dod o hyd i ffyrdd o gyfarfod â phobl ifanc eraill sydd wedi cael profiad o fath tebyg o farwolaeth. Efallai y bydd yna gyfle i ti sgwrsio â rhywun yn dy ysgol di sydd wedi dioddef profedigaeth — gofynna i athro neu athrawes holi ar dy ran di.

Mae **galar** yn gallu teimlo
fel ceisio hwylio ar
fôr stormus
mewn cwch bach . . .
ond yn union fel ym myd natur,
mae pob **storm**
yn gostegu maes o law.

Meddwl mwy caredig

Mae'n amser dal ati i ddatblygu'r **cyhyrau hyder** — galli di ddechrau drwy fod yn fwy caredig wrthyt ti dy hun.

Un o'r ymadroddion mae pobl yn ei ddweud yn aml yw **pe bawn i ond** ... Pan maen nhw'n dweud yr ymadrodd bach hwn, maen nhw'n teimlo'n euog neu'n teimlo cywilydd. Mae cywilydd ac euogrwydd yn emosiynau angharedig, sy'n amsugno egni — mae'r ddau yn hynod ddi-fudd, a dydy hi'n fawr o syndod eu bod nhw'n perthyn i feddwl Glar.

Treulia ychydig o amser yn meddwl am adegau pan wyt ti wedi dweud **pe bawn i ond**. Dyma'r math o beth ydyn nhw:

✳ <u>PE BAWN I OND</u> wedi dweud wrtho am beidio â gweithio mor galed

✳ <u>PE BAWN I OND</u> wedi sylwi ei bod hi'n sâl

✳ <u>PE BAWN I OND</u> heb ei gwneud hi'n hwyr i'r cyfarfod

✳ <u>PE BAWN I OND</u> wedi galw'r ambiwlans ar unwaith a'i fod wedi cyrraedd yn gynt

✳ <u>PE BAWN I OND</u> yn gwybod ei fod o'n aelod o giang mor dreisgar

Wyt ti'n gallu gweld sut mae'r meddyliau hyn yn negyddol? Drwy feddwl fel hyn, mae'n gwneud i ti deimlo dy fod ti rywsut ar fai, er na wnest ti erioed fwriadu iddyn nhw farw. Pan fyddi di'n sylwi ar y meddyliau hyn, mae'n syniad da i ti eu trafod â rhywun. Mae **galar iach** yn caniatáu i ti siarad yn agored am unrhyw ofidiau sydd gennyt ti a symud ymlaen. Cofia, bydda'n garedig wrthyt ti dy hun a phaid â chosbi dy hun â meddyliau sy'n amsugno dy egni.

Mae ymadroddion **fe ddylwn i** yr un mor anodd ...

Wyt ti wedi sylwi, bob tro y byddi di'n dweud **fe ddylwn i**, ei bod fel pe baet ti'n dweud y drefn wrthyt ti dy hun yn dawel bach? Dydy dweud 'fe ddylwn i' ddim yn dy helpu di i deimlo'n hyderus. Mae'n swnio fel pe baet ti ddim yn ddigon da.

✳ <u>FE DDYLWN I</u> gael marciau da yn fy arholiadau, dydy siomi pobl ddim yn beth da i'w wneud

✳ <u>FE DDYLWN I</u> stopio colli fy nhymer

✳ <u>FE DDYLWN I</u> fynd i'r cyngerdd

✳ <u>FE DDYLWN I</u> ymweld â'r bedd gyda Mam

Y tric meddwl gyda **fe ddylwn i** yw ei droi i **fe allwn i** ac yna llunio **cynllun** cadarnhaol. Mae hyn yn dy atal rhag dweud y drefn wrthyt ti dy hun a theimlo'n ddrwg. Mae'n newid bach sy'n gallu cael effaith gadarnhaol ar dy lefelau hyder.

* **FE ALLWN** I gael marciau da yn fy arholiad, felly rwy'n mynd i baratoi cynllun adolygu heddiw

* **FE ALLWN** I roi'r gorau i golli fy nhymer: bydd angen i ti gael sgwrs â Mam, fel ei bod hi'n gwybod sut rwy'n teimlo

* **FE ALLWN** I fynd i'r cyngerdd: ond dydw i ddim eisiau mynd, felly rwy'n mynd i ddweud wrth Kate fy mod i'n mynd i aros gartref a darllen fy llyfr

* **FE ALLWN** I ymweld â'r bedd gyda Mam, ond rwy'n teimlo'n agosach at Dad wrth wrando ar gerddoriaeth roedden ni'n dau yn ei hoffi. Fe wna i egluro hyn wrth Mam yn hytrach na dal ati i wneud esgusodion

Wyt ti'n gallu gweld sut mae'r math hwn o feddylfryd galar iach yn **fwy caredig** wrthyt ti dy hun ac eraill? Pan fyddi di'n galaru, mae'n helpu i fod yn garedig a pheidio â barnu dy hun (neu eraill) yn rhy llym. Mae'r hyn rwyt ti'n ei deimlo yn naturiol, felly'r peth olaf sydd ei angen arnat ti yw llais beirniadol yn dy ben. Pan fyddi di'n brifo, mae popeth yn fwy sensitif na'r arfer, felly mae'n bwysig i ti **ymarfer caredigrwydd** wrthyt ti dy hun. Mae'n bwysig oherwydd bydd hefyd yn dy helpu di i leddfu'r tonnau cryf hynny sy'n gysylltiedig â galar. Allwn ni ddim rheoli'r hyn sy'n digwydd i ni ond gallwn ni reoli sut **rydyn ni'n ymateb**. Cyfra i bump, anadla'n ddwfn a meddwl sut rwyt ti eisiau i bobl eraill deimlo amdanat ti ar ôl i ti adael yr ystafell. Mae'n bosib y bydd rhywun arall yn dy gylch teuluol neu gylch ffrindiau yn sylwi, ac y gallwch chi fod yn fwy caredig wrth eich gilydd o ganlyniad.

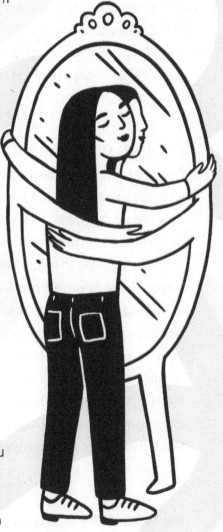

Drwy feithrin dy **gyhyr meddylfryd** galar, galli di arbrofi â meddwl mewn ffordd fwy dewr, galli di ddechrau gwneud penderfyniadau i fwynhau bywyd unwaith eto ac yn raddol teimlo mwy o reolaeth dros sut rwyt ti'n meddwl, yn teimlo ac yn ymddwyn. Mae'n cymryd amser, ond mae'n sgil fydd yn aros gyda ti am byth.

Cyhyr dycnwch

Dull gwych arall o dy helpu i edrych ymlaen yw **cyhyr dycnwch**.
Mae galar yn gallu bod yn llethol iawn ond mae'n syndod sut mae
'brwydro â galar' yn gallu gwneud i ti deimlo'n gryfach ac yn fwy
penderfynol na chyn i ti ddioddef profedigaeth.

Efallai dy fod ti wedi clywed am y dyfeisydd enwog **James Dyson**.
Pan oedd yn naw oed, dechreuodd yn yr ysgol breswyl y bu ei dad
yn dysgu ynddi, ond yn reit fuan ar ôl iddo ddechrau yn yr ysgol, bu
farw ei dad. Yn yr ysgol, yn ei arddegau cynnar, dechreuodd James
redeg pellter hir. Mae llawer o bobl sydd wedi dioddef profedigaeth
yn sôn bod rhedeg yn helpu. Datblygodd James gryfder meddyliol
a dycnwch, ac fe wnaeth hynny ei helpu'n ddiweddarach hefyd,
ym myd gwaith. Erbyn hyn, mae'n un o'r dynion busnes mwyaf
llwyddiannus yn y byd. Fodd bynnag, wnaeth llwyddiant ddim dod
yn hawdd. Creodd 5,126 gwahanol fersiwn o'i beiriant sugno llwch
cyn iddo ei gael yn iawn o'r diwedd! Ydy ... mae hynny'n golygu
methu 5,126 o weithiau. Ystwythodd ei **gyhyr dycnwch**, dysgodd
o'i gamgymeriadau a thros gyfnod hir o 15 mlynedd, bu'n gweithio'n
benderfynol ac yn falch gan greu dyfeisiadau sydd wedi newid y byd.

Mae **Eddie Izzard** yn ddigrifwr, yn awdur, yn actor ac yn
ymgyrchydd gwleidyddol sy'n ceisio denu pobl i gefnogi nod a
gosod heriau mawr. Mae Eddie hefyd wedi cael profiad o alar.

Pan oedd hi'n bump oed, bu farw ei mam, ac yn chwech oed, cafodd ei hanfon i ysgol breswyl. Ar ddechrau 2021, gosododd her iddi hi ei hun o'r enw 'Run for Hope' – ei her codi arian fwyaf uchelgeisiol hyd yn hyn. Ei nod oedd rhedeg 31 marathon ar bob un o 31 diwrnod mis Ionawr – ac yna perfformio sioe gomedi fyw bob nos! Uchelgais a slogan Eddie yw 'gwneud y ddynoliaeth yn wych unwaith eto'. Fe fydd yr holl arian sy'n cael ei godi drwy'r her yn mynd at elusennau sy'n gweithio tuag at fyd gwell, tecach a mwy caredig. Hyd yn oed pan fyddwn ni'n teimlo'n hollol flinedig, mae hi'n dweud y gall pob un ohonom ni wneud mwy nag y credwn ni sy'n bosib. Dyna'i **chyhyr dycnwch** yn gweithio mor galed at ddiben mor fawr.

Mae cymaint o bobl ifanc rwy wedi eu cyfarfod yn dangos **dycnwch** aruthrol ar ôl i rywun yn eu bywydau farw. Yn y straeon sy'n dilyn, gallwn ni weld sut mae'r dywediad 'os nad yw rhywbeth yn eich dinistrio chi, mae'n eich cryfhau chi' wedi chwarae rhan amlwg ym mywydau arweinwyr a gafodd brofedigaeth pan oedden nhw'n ifanc.

Bod yn tòs ar golled

Mae'n bosib y bydd yn destun syndod i ti bod llawer o arbenigwyr, pobl fusnes ac arweinwyr wedi dioddef profedigaeth pan oedden nhw'n ifanc. Mae llawer ohonyn nhw'n sôn iddyn nhw gael cyfnodau tywyll ac unig, ond eto roedd eu galar hefyd yn eu gwthio i ddilyn eu breuddwydion a'u nodau ac, er mawr syndod, yn eu gwneud yn fwy penderfynol fyth o lwyddo.

Dyma hanes ambell un:

Nelson Mandela

Mae llawer o bobl yn parchu ac yn edmygu'r gŵr hwn. Roedd yn arweinydd hawliau sifil ac yn Arlywydd De Affrica. Yn gynharach yn ei fywyd, cafodd Mandela ei garcharu'n annheg ar ynys am 27 mlynedd am brotestio yn erbyn apartheid — system wleidyddol yn Ne Affrica lle'r oedd dinasyddion nad oedden nhw'n wyn yn cael eu gwahanu oddi wrth bobl wyn, ac yn methu cael hawliau cyfartal. Dim ond naw oed oedd Mandela pan fu farw ei dad. Dywedodd,

'Fe wnes i ddiffinio fy hun drwy fy nhad ... roedd yn wrthryfelwr balch, roedd ganddo ymdeimlad styfnig o degwch ac rwy'n gweld hynny ynof i fy hun.'

Pan adawodd Mandela'r carchar, gallai fod wedi ymddwyn fel dyn blin a oedd wedi dioddef anghyfiawnder mawr, ond dewisodd beidio. Mae meddylfryd Mandela yn cael ei barchu gan bobl ledled y byd. Dylanwadodd y gwerthoedd oedd ganddo pan oedd yn blentyn ar y ffordd y dewisodd arwain ei hun a'i bobl.

124

Roedd ganddo'r meddylfryd galar a'r dycnwch mwyaf anhygoel. Dangosodd arweiniad pwerus a heddychlon, enillodd Wobr Heddwch Nobel a chafodd De Affrica ei rhyddhau o apartheid.

Yr Ustus Ruth Bader Ginsberg

Roedd Ruth yn arweinydd dewr a phenderfynol iawn a fu'n gweithio am 27 mlynedd yng Ngoruchaf Lys yr Unol Daleithiau (y llys uchaf yn UDA). Roedd Ruth yn aml yn dweud sut roedd geiriau ei mam wedi ei thywys gydol ei bywyd, yn enwedig pan oedd hi'n wynebu anghyfiawnderau mawr yn y byd.

> 'Dywedodd fy mam wrtha i am fod yn fonheddig. Iddi hi, roedd hynny'n golygu bod yn driw i chi'ch hun. Bod yn annibynnol.'

Bu farw ei mam o ganser pan oedd Ruth yn graddio o'r ysgol, a bu farw ei chwaer o lid yr ymennydd pan oedd Ruth ddim ond yn chwech oed. Roedd Ruth yn enwog am ei dycnwch. Sut daeth menyw fach swil o Brooklyn, a oedd eto'n fenyw gref a phenderfynol, i gael ei hadnabod gan bobl ifanc fel 'the Notorious RBG'? Roedd yr Ustus Ginsberg yn meddwl bod ei llysenw yn ddoniol. Mae pobl ifanc yn ei hystyried yn fodel rôl o ran gweithio'n galed dros yr hyn rydych chi'n credu ynddo. Fe fyddai hi'n cynghori pobl i beidio â cheisio dadlau â phawb, ond i ddewis y brwydrau pwysig yn ddoeth.

Joe Biden

Oeddech chi'n gwybod bod un arlywydd America o bob tri wedi colli rhiant pan oedden nhw'n ifanc? Collodd George Washington, Thomas Jefferson, Herbert Hoover, Gerald Ford, Bill Clinton a Barack Obama eu tadau pan oedden nhw'n ifanc. Mae Arlywydd yr Unol Daleithiau, Joe Biden, hefyd wedi gorfod ymdopi â galar aruthrol yn ei fywyd.

Lladdwyd gwraig gyntaf a merch fach Joe mewn damwain car yn 1977. Yna yn 2015, bu farw ei fab hynaf Beau o diwmor ar yr ymennydd. Ar ôl marwolaeth ei fab, ysgrifennodd yr Arlywydd Biden fywgraffiad ysbrydoledig o'r enw *Promise Me, Dad: A Year of Hope, Hardship and Purpose*. Mae 'addo i fi' yn un o'r ymadroddion bach hynny sydd mor fyw yn y cof pan mae pobl yn ceisio ymdopi â'u galar pan fydd rhywun yn marw. Cyn iddo farw, gofynnodd Beau i'w dad:

'Wnei di addo i fi, Dad, rho dy air i fi, waeth beth sy'n digwydd, dy fod ti'n mynd i fod yn iawn?'

Rhoddodd Joe Biden ei air i'w fab. Daeth yn 46ain Arlywydd yr Unol Daleithiau bum mlynedd ar ôl i Beau farw. Y noson cyn iddo gael ei wneud yn Arlywydd, cyflwynodd Joe araith am ei fab, â dagrau'n powlio i lawr ei fochau wrth iddo siarad — y noson honno, roedd yn gyfforddus yng **ngwlad y golled**, drannoeth roedd yn barod i gael ei urddo'n Arlywydd — **gwlad yr ailadeiladu.**

Syr Winston Churchill

Roedd gan Syr Winston Churchill (prif weinidog y Deyrnas Unedig 1940–45 a 1951–55) berthynas anodd â'i rieni, yn enwedig ei dad – dyn a oedd â thymer ddrwg iawn, yn ôl pob sôn. Er hynny, pan oedd yn blentyn, roedd Churchill yn addoli ei dad ac roedd bob amser yn chwilio am **ganmoliaeth** ganddo, ac eisiau iddo fod yn **falch** ohono.

Bu farw Randolph Churchill pan oedd Winston yn ifanc. Yn ddiweddarach yn ei fywyd, gofynnodd Winston am gael ei gladdu wrth ymyl ei dad mewn mynwent fechan yn Swydd Rhydychen, yn hytrach nag yn Abaty Westminster fel wyth prif weinidog arall o'i flaen ac 17 o frenhinoedd a breninesau Prydain! Roedd eisiau bod yn agos at ei dad.

Roedd Churchill yn arweinydd a gafodd ddylanwad ar fy mywyd innau hefyd. Cyn i Churchill farw, awgrymodd ei ffrindiau y dylai unrhyw arian a fyddai'n cael ei godi er cof amdano fynd tuag at helpu pobl i deithio a dysgu oddi wrth bobl mewn gwledydd eraill. Roedd Churchill yn meddwl bod hyn yn syniad gwych ac ar ôl iddo farw, creodd ei ffrindiau a'i deulu gymdeithas i roi arian i bobl a oedd eisiau gwneud gwahaniaeth. Roeddwn i eisiau helpu pobl ifanc a oedd yn delio â galar a chefais help gan gymdeithas Churchill i greu elusen i blant mewn profedigaeth. Gelwais yr elusen yn **Winston's Wish** er cof amdano (www.winstonswish. org). Y dymuniad yn yr enw oedd y byddai plant sydd wedi dioddef profedigaeth yn cael cymorth i'w helpu i alaru ac ailadeiladu eu bywydau. Weithiau mae pethau pwysig yn gallu digwydd ar ôl i rywun farw.

Mae llawer o arweinwyr cryf yn aml yn cael eu hatgyfnerthu (yn hytrach na'u gwanhau) gan eu profiad o alar yn eu blynyddoedd cynnar. Maen nhw'n cael nerth o'r profiad mewn rhyw ffordd, er eu bod wedi dioddef cyfnodau unig ac anodd. Rywsut mae eu profiad yn helpu i lunio'u cymeriad ac yn annog eraill i'w dilyn.

Pa arweinwyr sy'n dy ysbrydoli di fwyaf? Rhywun yn dy gymuned leol sy'n helpu eraill i gredu ynddyn nhw'u hunain, efallai. Arweinydd crefyddol sy'n helpu pobl i deimlo eu bod nhw'n perthyn. Hyfforddwr chwaraeon sy'n helpu eraill yn ei amser sbâr ar ôl ei ddiwrnod gwaith. Y postmon sy'n cadw llygad ar bobl sy'n byw ar eu pennau eu hunain ac yn sgwrsio wrth ddosbarthu llythyrau. Mae'r rhain i gyd yn dangos arweiniad gwych. Pa rinweddau arweinyddiaeth hoffet ti eu dangos fwyaf wrth i ti dyfu i fyny a chymryd dy le yn y byd?

Mae **brwydro** yn erbyn **galar** weithiau gwneud i ti deimlo'n **gryfach** ac yn fwy <u>**penderfynol**</u> nag yr oeddet ti cyn i ti ddioddef profedigaeth.

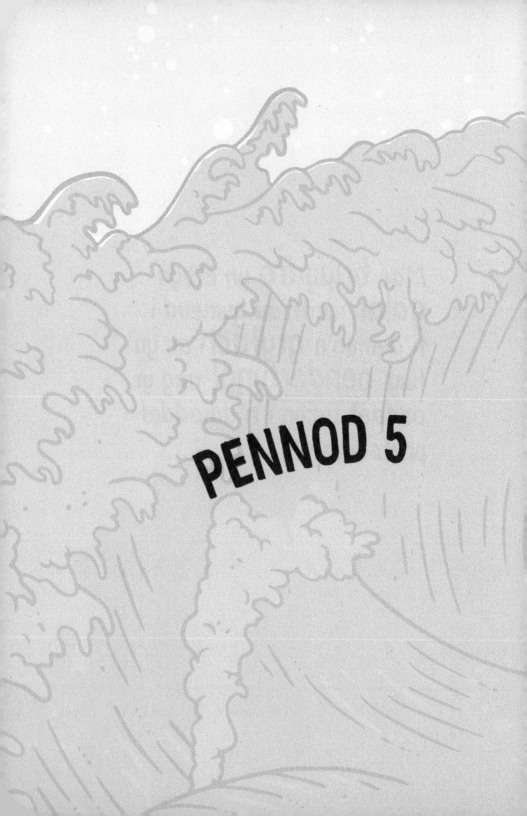

PENNOD 5

RWY'N IAWN

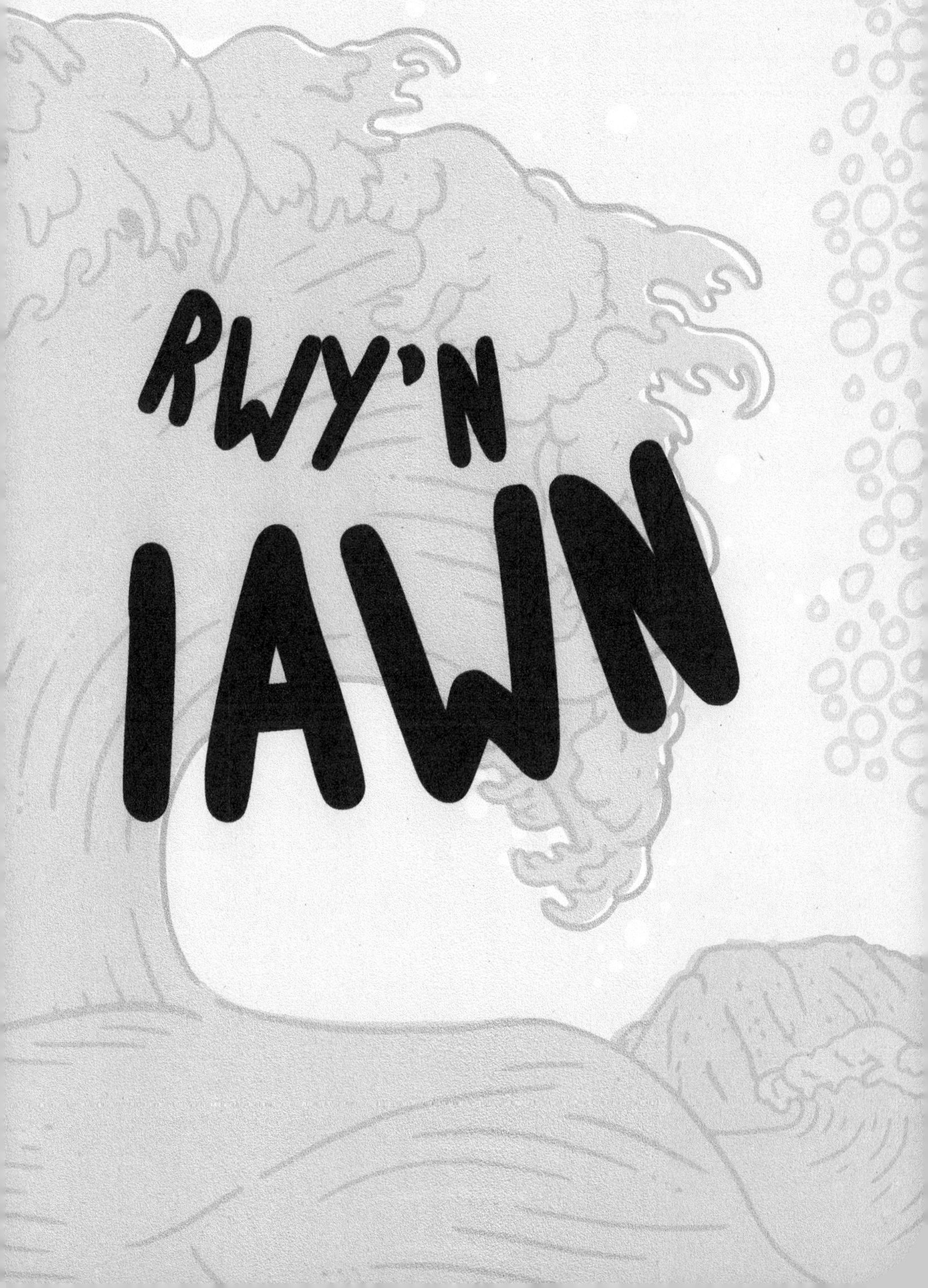

Diolch i bandemig y coronafeirws, bu'n rhaid i'r byd i gyd ddod i arfer â gwisgo mygydau. Mae'n siŵr dy fod ti wedi gwisgo mwgwd dy hun o dro i dro. Oeddet ti'n gweld bod y mwgwd braidd yn anghyfforddus ar ôl ychydig, yn enwedig pan oedd hi'n boeth? Roeddwn i hefyd yn ei chael hi'n anodd peidio â gallu 'darllen' wynebau pobl. Doeddwn i ddim siŵr a oedden nhw'n hapus neu'n rhwystredig. Roedd gwên amlwg yn llygaid rhai pobl, ac roedd hynny'n helpu. Ond rwy'n gwybod fy mod i'n aml yn teimlo rhyddhad mawr pan oedden ni'n gallu tynnu ein mwgwd ac ymlacio.

Cyhyr teimladau hyblyg

Beth yw'r cysylltiad rhwng yr holl drafod am fygydau a galar? Wel, pan fydd rhywun yn marw, mae pobl weithiau (yn aml heb fwriadu gwneud hynny) yn gwisgo rhyw fath o **fygydau galar anweledig**. Dydy o ddim yn fwgwd go iawn, ond mae'n gallu golygu bod pobl eraill yn ansicr ynglŷn â sut rwyt ti'n teimlo go iawn. Efallai y byddi di hyd yn oed yn anghofio sut rwyt ti'n teimlo. Mae'r **cyhyr teimladau hyblyg** yn gwybod bod perffaith hawl gennym ni i ddangos ein teimladau'n agored, ond y gallwn eu cuddio a'u cadw'n breifat dro arall.

Pe bai'n fasg go iawn, mae'n debyg y byddai'r geiriau

ar ei du blaen.

Efallai dy fod ti wedi gwisgo un o'r mygydau galar hyn dy hun:

Fydd pobl weithiau'n gofyn i ti, 'Sut rwyt ti'n ymdopi?'

Wyt ti'n ymateb yn sydyn, bron heb feddwl, drwy ddweud 'Rwy'n IAWN, diolch!'

Canu cloch? Wel, dwyt ti ddim ar dy ben dy hun ...

Rwy'n cofio Sue, rhiant a oedd yn gweld bywyd yn anodd ar ôl i'w gŵr farw. Pan oedd Sue yn dweud **'iawn'**, fe wnaeth hi gyfaddef mai'r hyn roedd hi'n ei olygu mewn gwirionedd oedd ei bod hi'n <u>I</u>sel ei hwyliau, <u>A</u>r wahân, <u>W</u>edi blino a <u>N</u>erfus!

Mae gwisgo mwgwd o alar yn gallu bod yn ymateb defnyddiol pan nad wyt ti wir eisiau trafod pethau neu os wyt ti eisiau osgoi sgwrs a allai droi'n lletchwith yn y pen draw. Os wyt ti'n dweud dy fod ti'n iawn, fydd y rhan fwyaf o bobl ddim yn mynd â'r sgwrs ymhellach. Weithiau, rydyn ni hefyd yn dweud ein bod ni'n iawn er ein bod ni'n eithaf dig neu drist mewn gwirionedd, ond mae'n well gennym ni beidio â gorfod esbonio rhag ofn i ni golli rheolaeth ar ein hemosiynau a ninnau ddim yn teimlo'n gyfforddus i wneud hynny.

Mae'r mygydau galar anweledig hyn yn gallu dy helpu di i ddewis pryd rwyt ti eisiau siarad am bethau a phryd nad wyt ti — dyma dy **gyhyr teimladau hyblyg** ar waith.

y **fi** nad wyt
ti'n gallu'i **weld** . . .

Dydy'r ffaith fy mod i'n
gwenu ddim yn golygu
nad ydw i **mewn poen**.

Rhybudd – perygl!

Er bod mwgwd yn gallu bod yn ddefnyddiol, mae'n datblygu'n broblem os wyt ti'n treulio'r rhan fwyaf o'r amser yn gwisgo dy **fwgwd galar**. Mae'n hawdd iawn dod i arfer â'i wisgo bob amser. Rwyt ti'n dod i arfer â dweud 'Rwy'n iawn' a **chloi** dy deimladau'n ddwfn y tu mewn i ti. Mae gwneud hyn yn gallu gwneud y teimladau'n fwy dwys.

Wrth geisio anghofio am y teimladau hynny, maen nhw'n gallu tyfu a mynd yn fwy ffrwydrol. Maen nhw'n mudferwi'n dawel – a dyna pryd maen nhw'n gallu creu problem. Y rheswm am hyn yw bod cloi ein teimladau ymhell o'r golwg yn gallu'n harwain ni i wneud dewisiadau gwael. Yn hytrach na sylwi faint mae rhywbeth yn dy frifo, byddi di'n teimlo ysfa i wylltio a rhoi pryd o dafod i rywun neu encilio a mynd yn dawel iawn. Fel **llosgfynydd sy'n mudferwi**, ond sy'n ffrwydro yn y pen draw. Felly mae angen i ti geisio mynegi dy deimladau o dro i dro a'u trafod nhw â'r bobl rwyt ti'n ymddiried ynddyn nhw.

Llosgfynydd dig

Wyt ti'n gyfarwydd â'r teimlad hwnnw, pan fyddi di wedi cynhyrfu ond yn dweud dy fod ti'n iawn, ond mae pobl yn dal i holi a holi nes dy fod ti, yn y pen draw, yn ffrwydro fel llosgfynydd mawr dig? Mae hyn yn ymateb arferol i rwystredigaeth a galar, ond mae'n bwysig nad yw grym dy ddicter yn dy frifo di na'r bobl o dy gwmpas. Weithiau, mae sylwi ar y teimladau'n mudferwi a thrafod hynny yn gam cyntaf da tuag at leddfu'r pwysau.

Wyt ti'n gweld yr wyneb sy'n gwenu ar ben y llosgfynydd dig ar y dudalen flaenorol? Oddi tano, mae'r pwysau a'r gwres yn cynyddu ... wyt ti wedi sylwi ar yr holl feddyliau dig hynny'n mudferwi? Mae'r meddyliau yn y llun o'r llosgfynydd yn perthyn i fachgen o'r enw Kordell ar ôl i'w frawd Ty gael ei drywanu gan giang.

Pa feddyliau byddet ti'n eu rhoi yn dy losgfynydd di? Oes unrhyw beth yn mudferwi?

Mae bob amser yn well rhwystro'r llosgfynydd rhag ffrwydro, felly dechreua drwy geisio sylwi ar unrhyw feddyliau dig a allai fod yn cronni y tu mewn i ti. Gafaela yn dy lyfr nodiadau a thynna lun o dy **losgfynydd dig** dy hun. Ysgrifenna'r pethau sy'n mynd drwy dy ben a'u dangos nhw i aelod o'r teulu neu ffrind. Gyda'ch gilydd, efallai y byddwch chi'n gallu meddwl am ffyrdd o ollwng stêm sy'n llawer mwy tyner na ffrwydro. Dawnsio i gerddoriaeth uchel iawn, efallai, neu fynd i redeg, dysgu crefft ymladd neu chwarae chwaraeon gyda dy ffrindiau. Beth bynnag byddi di'n ei ddewis, bydd yn help i dy feddwl ymlacio ac yn gwneud i ti deimlo'n well eto.

Caeth a mud

Rwy eisiau rhannu stori Beth. Fe wnaethon ni gyfarfod pan oedd Beth yn 13 oed, naw mis wedi i'w mam farw. Roedd Mrs Edgell, athrawes addysg gorfforol Beth, wedi sylwi ei bod wedi dechrau osgoi gwersi, a'i bod yn aml yn absennol o'r ysgol ag anhwylder stumog neu haint ar y glust. Roedd Beth yn cael trafferth ofnadwy i hyd yn oed sôn am ei mam neu sut roedd hi wedi marw. Roedd Beth wedi symud i fyw gyda'i thad a'i llysfam. Roedd hynny'n golygu ei bod hi'n byw yn bell i ffwrdd o'i ffrindiau gorau, ac roedd yn rhaid iddi rannu ystafell wely â'i llyschwaer wyth oed. Ar ben colli ei mam, roedd Beth yn gorfod ymdopi â CHYMAINT o newidiadau eraill yn ei bywyd. Roedd pawb heblaw ei hathrawes yn meddwl bod Beth yn ymdopi'n 'iawn'. Bu'r ysgol yn trafod hyn â thad Beth, a chytunwyd y byddai'n fuddiol i Beth weld rhywun fel fi. Ar y dechrau, roedd Beth yn ansicr. Roedd hi eisiau llonydd. Roedd hi'n gwybod bod ei graddau yn yr ysgol yn dda iawn, ac roedd hi'n mynnu ei bod hi'n **iawn**. Fe fu'n rhaid i Mrs Edgell ymdrechu'n **galed** i berswadio Beth i fy ngweld i.

Ar ôl i ni ddod i ymddiried yn ein gilydd, fe wnes i ddangos y cerrig atgof i Beth. Gafaelodd yn dynn yn y garreg arw a meddwl yn ofalus cyn siarad. Gan sibrwd, dywedodd ei bod hi wedi cael ffrae am lanhau ei hesgidiau ysgol ar y bore y bu farw ei mam. Soniodd bod ei mam wedi gadael y tŷ yn flin. Ar ei ffordd i'r gwaith, cafodd car ei mam ei daro gan lori, a bu farw ei mam yn y fan a'r lle.

Roedd Beth wedi troi dadl fach yn beth mawr iawn. Doedd hi ddim yn gallu mynegi ei galar. Roedd hi'n ddideimlad, roedd hi'n teimlo'n euog ac roedd hi'n gwbl ddihyder. Roedd Beth hefyd yn deffro yn y nos mewn panig, a'i phen yn llawn o ddelweddau erchyll o'r ddamwain (nad oedd hi wedi eu gweld mewn gwirionedd).

Fe ofynnais i Beth, 'Wyt ti'n meddwl mai ti achosodd farwolaeth dy fam?'. Edrychodd i fyny'n syth ac ateb yn dawel, 'Ydw'. Wedyn, dyma fi'n gofyn, 'Pan oeddet ti'n dadlau gyda dy fam am lanhau dy esgidiau ysgol, ai dy fwriad oedd gwneud iddi farw?' Yn syth bin, dyma Beth yn ateb yn fwy grymus 'NAGE, wrth gwrs!'

Wrth gwrs, doedd Beth ddim ar fai am farwolaeth ei mam, ond gan eu bod nhw wedi cael ffrae wirion y tro olaf iddi weld ei mam, roedd y syniad wedi bod yn cyniwair y tu mewn iddi. Roedd Beth yn esgus ei bod hi'n **iawn**, ond roedd hi'n cuddio stori yr oedd angen iddi ei rhannu â rhywun y gallai ymddiried ynddo. Trwy **dynnu ei mwgwd**, gallai Beth ganiatáu i'w hun lacio gafael ar yr euogrwydd di-fudd a'r lluniau meddyliol trawmatig o'r ddamwain a oedd yn rhwystro ei galar. Ar ddiwedd ein hamser gyda'n gilydd, addurnodd Beth ei bocs atgofion ac yna'i lenwi ag atgofion da. Ar ôl iddi orffen, fe'i rhannodd â'i llyschwaer iau er mwyn egluro cymaint roedd hi'n caru ei mam. Weithiau, pan fydd galar yn mynd yn sownd mor dynn, mae'n cymryd ymdrech i'w lacio er mwyn gwneud lle i atgofion y garreg gron a'r em (tudalennau 85–9) nad wyt ti'n teimlo'n barod i'w cofleidio eto efallai. Mae datod y math hwn o alar cymhleth mor bwysig er mwyn i ti allu llacio dy afael ar y teimladau dolurus sy'n dy lusgo i lawr ac yn amsugno dy egni. Oes yna rannau o dy alar sy'n fwy cymhleth — rhannau sydd angen rhywfaint o gymorth mwy proffesiynol i'w trwsio? Gofynna i oedolyn ffonio un o'r llinellau cymorth yng nghefn y llyfr neu edrych ar y gwefannau i weld beth sydd ar gael yn lleol i ti.

Atgofion trawmatig

Fel y soniais yn gynharach, yn aml, ni fydd atgofion arbennig o erchyll yn diflannu. **Atgofion trawmatig** — dyna enw arall ar yr atgofion poenus hyn. Maen nhw hefyd yn wahanol, gan eu bod nhw'n aml yn ymddangos yn dy feddwl yn ddiwahoddiad. Mae'r lluniau byw sy'n ymddangos weithiau'n cael eu galw'n **ôl-fflachiadau — flashbacks**. Mae atgofion trawmatig yn gallu digwydd yn ystod y nos hefyd, ar ffurf hunllefau. Maen nhw'n achosi gofid, ond mae siarad amdanyn nhw a mynd i'r afael â'r hyn sydd wedi digwydd yn gallu dy helpu di i deimlo mwy o reolaeth ar yr atgofion trawmatig, ac yn araf bach, galli di ddechrau teimlo llai o'u hofn nhw. Roedd angen i Beth wneud hyn.

Dyma rai awgrymiadau os oes delweddau brawychus yn ymwneud â'r farwolaeth yn ymddangos yn dy feddwl. Y cam cyntaf yw sylwi'n iawn ar y delweddau hyn. Bydd hyn yn caniatáu i ti ddelio â nhw a'u storio'n effeithlon yn dy ymennydd, fel eu bod nhw'n cymryd llai o le.

Nawr sylwa ar unrhyw feddyliau anodd. Tynna luniau syml o'r meddyliau hyn a dechreua sylwi ar y teimladau sydd ynghlwm wrthyn nhw. Rho linell ddu drwchus o amgylch pob llun i'w fframio a'i gadw'n ddiogel. **Cofia**: y ffordd orau o wneud y gwaith hwn yw gyda rhywun a fydd yn gallu dy gefnogi'n ofalus wrth i ti feddwl am y teimladau hyn, sy'n arbennig o boenus.

Plyga'r lluniau mor fach ag y galli di, a'u taflu nhw. Dychmyga fin sbwriel yn llawn o ddarnau papur wedi'u taflu rywsut-rywsut. A bin arall â'r un faint o bapur ynddo, ond bod y papur wedi ei blygu'n ofalus. Mae'r papur sydd wedi cael ei blygu yn cymryd llawer llai o le, ac yn bwysicach fyth, mae'n gadael **lle** ar gyfer dy **atgofion gwell**.

Os wyt ti'n dal i gael atgofion brawychus, ar ddiwedd y llyfr rwy hefyd wedi cynnwys rhai dolenni i sefydliadau defnyddiol. Gofynna i oedolyn rwyt ti'n ymddiried ynddo i'w ffonio. Byddan nhw'n gallu cynnig help a chyngor rhag ofn y bydd angen i ti fynd i weld rhywun yn sgil yr atgofion mwy cymhleth a thrawmatig hyn. Mae atgofion trawmatig yn gallu bod mor gryf fel eu bod nhw'n rhwystro dy alar, felly mae'n hynod o bwysig peidio â gadael i hynny ddigwydd.

Cyhyrau dewrder, hyder a dycnwch

Roedd angen llawer o ddewrder, hyder a dycnwch ar yr actor Americanaidd **Jennifer Hudson**. Yn ogystal ag actio, mae gan Jennifer lais canu pwerus, ac roedd hefyd yn hyfforddwr ar *The Voice*.

Yn 2008, newidiodd ei bywyd yn sydyn iawn pan ddaeth plismon i roi gwybod iddi fod ei mam, ei brawd a'i nai saith oed wedi cael eu llofruddio. Roedd y llofrudd wedi bod yn rhan o'u teulu hefyd, gan ei fod yn gyn-ŵr i chwaer Jennifer.

Mae'n bosib y bydd rhai ohonoch sy'n darllen y llyfr hwn hefyd yn ceisio gwneud synnwyr o farwolaeth yn y teulu oherwydd **llofruddiaeth** neu **ddynladdiad**. Fe fyddwch chi eisoes yn gwybod bod y math hwn o alar yn anodd iawn, a bod yr ymennydd yn cael ei lethu gan ddelweddau byw o bethau a welwyd neu luniau mae eich ymennydd bellach yn eu dychmygu.

145

Mae yna grwpiau arbennig o bobl sy'n helpu gyda marwolaethau trawmatig a bydd y llinellau cymorth yng nghefn y llyfr yn awgrymu sut i gyfarfod ag eraill yn yr un sefyllfa. Mae modd gofyn i swyddog cyswllt teulu'r heddlu am rai cysylltiadau defnyddiol hefyd.

Treuliodd Jennifer flwyddyn o seibiant o fyd perfformio er mwyn caniatáu i'w hun alaru'n dawel gartref ac i ymdopi â'r achos llys mwy cyhoeddus a fynychodd bob dydd gyda'i chwaer. Ar ôl y flwyddyn honno, daeth o hyd i'r nerth i ganu anthem genedlaethol UDA cyn y Super Bowl. Ganwyd mab Jennifer, David, flwyddyn yn ddiweddarach. Mae Jennifer wedi sôn am sut y gwnaeth David ei hysbrydoli i ailadeiladu ei bywyd ac edrych i'r dyfodol. Roedd gan ei mam ffydd gref yn Nuw a byddai'n annog ei phlant i siarad pan oedden nhw mewn poen ac i geisio gweld agweddau **cadarnhaol** bywyd. Cofiodd Jennifer am eiriau ei mam ac ysgrifennodd gân i'w helpu ar ddyddiau anodd. Ynddi, mae'n sôn sut y dysgodd ei mam bopeth iddi, a'i bod yn cario'r wybodaeth honno gyda hi i bob man.

Rwy eisiau i ti fod fel Jennifer — yn gallu dod o hyd i dy **lais**, yn **gallu helpu eraill** ac yn gallu **gofyn am help** pan fydd ei angen arnat ti.

146

Yr eliffant yn yr ystafell

Mae galaru'n dawel yn gallu digwydd mewn teuluoedd neu grwpiau cyfeillgarwch hefyd. Er ei bod hi'n well gallu cynnal y sgyrsiau dewr hynny gyda'ch gilydd — mae'n gallu teimlo'n eithaf lletchwith weithiau. Sut mae dy deulu neu ffrindiau yn ymdopi? Allwch chi siarad yn agored ac yn rhwydd am y person sydd wedi marw? Os felly, rwy'n falch iawn oherwydd bod llawer o bobl yn gweld hyn yn beth anodd ei wneud.

Mae rhannu dy atgofion, o bosib drwy ddefnyddio dy focs neu dy gerrig atgofion, yn aml yn ffordd dda o ddechrau. Ond dydy hynny ddim bob amser yn syml — dywedodd bachgen rwy'n ei adnabod o'r enw Sanjay wrtha i ei fod yn poeni y byddai'n ypsetio ei dad â'i alar, felly dysgodd beidio â dweud dim ar ôl i'w nain farw o ganser.

Pan nad oes neb yn sôn am rywbeth sy'n fawr ac yn bwysig, rydyn ni weithiau'n disgrifio hyn fel bod ag 'eliffant yn yr ystafell' — mae fel eistedd i lawr yn bwyta swper ag eliffant **enfawr** ar y bwrdd a phawb yn esgus nad yw yno. Mae'n bosib ei fod ar feddyliau pawb ond **does neb yn siarad amdano**. Mae fel pe bai dim byd wedi digwydd. Mae pawb yn brysur ac yn byw eu bywydau a does neb yn gwybod yn iawn sut mae neb arall yn teimlo mewn gwirionedd. Ond mae pawb mor wahanol. Dydy hi ddim mor hawdd i deuluoedd neu ffrindiau sy'n teimlo ar eu pennau eu hunain gyda'r eliffant lletchwith hwn. Mae galar yn brofiad unigol iawn. Sut wyt ti'n meddwl mae eraill yn ymdopi? Efallai fod pobl o dy gwmpas eisiau mynegi eu galar mewn ffyrdd gwahanol. Mae'n bwysig siarad a threfnu ffyrdd sy'n caniatáu i bobl gofio rhywun mewn ffyrdd sy'n teimlo'n iawn iddyn nhw.

Rwy'n cofio peidio â bod mor awyddus â hynny i ddychwelyd i Gernyw bob blwyddyn i osod blodau ar fedd fy nhad ar ei ben-blwydd. Roedd Mam a fy mrawd wrth eu bodd yn gwneud y daith. Ar y dechrau, rwy'n meddwl bod Mam yn teimlo'n siomedig iawn ac yn eithaf blin gyda fi am beidio mynd ar yr ymweliad blynyddol yma i fedd fy nhad. Yn y pen draw, roeddwn i'n ddigon dewr i egluro nad oedd y daith yma'n gweithio i mi a mod i'n hoffi meddwl am Dad yn fy ffyrdd fy hun. Y tro hwn,gwrandawodd Mam arna i. Roedd fy nhad a finnau'n arfer mwynhau cadw pysgod trofannol, ac roedd hefyd yn hoff iawn o gerddoriaeth. Felly, fy ffordd i o feddwl amdano oedd trefnu i hen biano gael ei drawsnewid yn danc pysgod. Bob dydd, pan fydda i'n bwydo fy mhysgod yn fy acwariwm piano, rwy'n teimlo mod i'n dweud **helô wrth fy nhad**.

Efallai ei bod hi'n bryd i dy deulu neu dy ffrindiau gael **sgwrs ddewr** am yr hyn sy'n gweithio orau i wahanol bobl a thrafod unrhyw beth rydych chi eisiau ei wneud gyda'ch gilydd i gofio am y person sydd wedi marw. Mae dy **gyhyr teimladau hyblyg** mor ddefnyddiol gan ei fod yn dy alluogi i ddangos dy deimladau neu beidio â dangos dy deimladau – i'w rhannu neu i beidio â'u rhannu pan wyt ti eisiau mwy o breifatrwydd.

Gwnaeth un teulu gryn argraff arna i wrth iddyn nhw weithio'n galed i ddod o hyd i ffordd o rannu eu galar. Roedd tad Steph (17), Sarah (14) a Jack (8) wedi marw'n sydyn ar Ddydd Gŵyl San Steffan. Cafodd y teulu eu llorio'n llwyr. Roedden nhw i gyd mewn cyfnodau gwahanol yn eu bywydau, ac roedd hynny'n effeithio ar sut roedden nhw'n galaru. Am gyfnod, roedd **eliffant yn yr ystafell**. Roedd hi'n anoddach siarad. Roedd Steph yn gwneud ei harholiadau ac roedd ganddi gariad a oedd yn ei chefnogi. Roedd Jack yn iau ac roedd yn wych ym myd chwaraeon. Roedd y teulu cyfan yn caru eu tad yn fawr iawn, ond teimlai Sarah fod aelodau eraill eraill y teulu yn ei chael hi ychydig yn haws llacio gafael a bwrw ymlaen â'u bywydau.

Yn y pen draw, dechreuodd y teulu rannu eu profiadau o alar. Ar ôl rhyw flwyddyn, roedden nhw'n siarad mwy am eu teimladau ac eisiau creu rhywbeth a fyddai'n eu huno. Fe benderfynon nhw drefnu **Her Gŵyl San Steffan** hyfryd er mwyn codi arian at elusen a wnaeth eu helpu nhw ar ôl i'w tad farw. Bob blwyddyn ar Ŵyl San Steffan, byddai cannoedd o bobl yn dod ynghyd i gerdded neu redeg er cof am rywun a oedd wedi marw. Nid yn unig ei fod yn beth gwych i'w wneud i godi arian, ond roedd hefyd yn golygu bod teuluoedd yn gwybod bod yna adeg dros wyliau'r Nadolig i gerdded neu redeg er cof am rywun. Daeth y teulu at ei gilydd drwy'r diben cyffredin o gofio am eu tad hyfryd ar ben-blwydd ei farwolaeth.

Mae sawl ffordd o gydweithio i ddod o hyd i ffyrdd o alaru sydd nid yn unig yn eich siwtio chi'n unigol, ond hefyd fel grŵp. Nawr, beth am feddwl eto am dy deulu neu grŵp o ffrindiau? Oes yna eliffantod bach neu fawr yn yr ystafell sydd angen eu trafod? Wyt ti'n teimlo'n ddigon dewr i ddefnyddio dy **gyhyr teimladau hyblyg** a chael un o'r sgyrsiau dewr hynny? Rydyn ni am fynd i'r afael ag un cwestiwn penodol sy'n gallu bod yn anodd i rai teuluoedd ei drafod.

Beth pe bai
rhywun arall yn marw?
Beth fydd yn digwydd
i fi?

Cwestiynau MAWR iawn i deuluoedd

Mae un pryder penodol sy'n codi'n aml pan fydda i'n siarad â phobl ifanc sydd wedi colli aelod o'u teulu. **Beth pe bai rhywun arall yn marw?** Yn aml maen nhw eisiau gwybod beth fyddai'n digwydd iddyn nhw pe bai rhywun arall yn eu teulu yn marw – yn enwedig y person sy'n gofalu amdanyn nhw. Efallai nad yw hyn yn berthnasol i rai sy'n darllen y llyfr hwn, ond i'r rhai sydd yn poeni am beth fyddai'n digwydd iddyn nhw, rwy'n addo bod yn onest. Fe fydda i'n cynnig ymarfer sy'n dy alluogi i wynebu dy ofnau.

Roedd fy nain yn fy adnabod i'n dda iawn, felly pan fyddwn i'n mynd yn dawel iawn, roedd hi'n gwybod fy mod i'n poeni am rywbeth. Fe fyddai hi'n fy atgoffa'n dyner,

Os wyt ti'n gallu sôn am rywbeth, rwyt ti'n gallu ei reoli.

Roedd hi'n iawn. Dydy siarad am rywbeth rwyt ti'n poeni amdano **ddim** yn ei wneud yn fwy tebygol o ddigwydd. Ond mae'n fwy tebygol y byddi di'n gallu ei roi o'r neilltu a chanolbwyntio ar dy fywyd yn y presennol.

Os wyt ti'n gofyn, 'Ond beth ddigwyddith os gwnewch chi farw hefyd?' bydd oedolion yn aml am ddweud, 'O, does dim angen i ti boeni am hynny! Wna i byth dy adael di', ac yna'n ceisio newid y pwnc, gan fod hyn yn rhywbeth maen nhw'n poeni yn ei gylch hefyd. Er ei bod hi'n gysur i'w clywed yn dweud na fyddan nhw byth yn dy adael di, mae pobl ifanc yn dweud wrtha i nad yw gwthio'r ofn hwn o dan y carped yn cael gwared arno. **Maen nhw eisiau gwybod beth yw'r cynllun ar gyfer trychineb, hyd yn oed os na fydd angen y cynllun hwnnw byth.**

Mae'r enghraifft ar y tudalennau nesaf yn sôn am Rory, plentyn oedd yn byw gyda'i ddau riant, ond bu farw un ohonyn nhw. Roedd Rory yn 12 oed ac roedd bellach yn byw gyda'i fam a'i chwaer iau. Bu farw ei dad yn sydyn iawn chwe mis ynghynt. Rwy'n gwybod efallai nad yw sefyllfa deuluol Rory yr un fath â dy un di, felly mae'n bosib y bydd angen i ti addasu'r ymarfer hwn yn ôl dy sefyllfa bersonol di. Fe allet ti gael budd o ddangos esiampl o'r Wal Dal Pryderon ar y tudalennau canlynol i'r oedolyn neu'r oedolion sy'n gofalu amdanat ti, fel y gallan nhw dy helpu di i ddeall y cynllun sydd ar waith pe bai'r peth **annhebygol** iawn yn digwydd, a'u bod nhw hefyd yn marw pan wyt ti'n dal i fod yn blentyn.

WAL **UCHEL** PRYDERON

Er mwyn rhoi syniad i ti o sut gallai edrych ar ofnau mewn ffordd bwyllog a rhesymegol dy helpu, awn ni'n ôl mewn amser i gyfnod yr Hen Roeg, ac i gwrdd ag athronydd doeth o'r enw Socrates.

Roedd Socrates yn wych am ofyn cwestiynau a oedd yn helpu ei fyfyrwyr i ystyried sefyllfaoedd eithriadol o **anodd**. Sylwodd fod emosiynau'n gallu baglu pobl o bryd i'w gilydd, felly roedd am helpu ei fyfyrwyr i feddwl mewn ffordd resymegol. Hyfforddodd ei fyfyrwyr drwy ofyn yr **un cwestiwn** sawl gwaith, a rhoi amser iddyn nhw fyfyrio ac ateb rhwng pob cwestiwn.

Wal Uchel Pryderon yw'r enw sydd gen i ar gyfer yr ymarfer hwn. Fe allwn ni ddefnyddio techneg Socrates o ofyn cwestiynau er mwyn dod i lawr o ben y wal yn ddiogel.

Dychmyga Rory yn gofyn y cwestiwn mawr, **'Beth fyddai'n digwydd pe bai Mam yn marw hefyd?'** Dychmyga ei fod yn sefyll ar ben wal uchel iawn. Ar y dechrau, mae'n sefyllfa mor frawychus a llethol fel mai prin y gall Rory yngan y cwestiwn.

Mae Socrates yn ei dywys i lawr ychydig gamau drwy ofyn,

'PE BAI HYNNY'N DIGWYDD, BETH SY'N SY BOENI DI?'

Roedd gallu siarad drwy'r ofn hwn yn bwysig ac yn rhyddhad mawr i Rory.

Mae Rory yn camu ychydig yn bellach i lawr ac yn ateb,

'Mae Mam wedi dweud wrtha i ei bod hi wedi gwneud
ewyllys sy'n golygu y bydd ein modryb yn gofalu amdanon
ni. Hi yw ein gwarcheidwad ac mae hi'n byw yn yr Alban.'

'PE BAI HYNNY'N DIGWYDD, BETH SY'N SY BOENI DI?'

Mae Rory yn meddwl, yn cymryd anadl ddofn, yn camu i ran llawer is
o'r wal ac yn dweud,

'Yn dibynnu ar ein hoed ni, mae'n debyg y byddai'n
rhaid i fy chwaer a fi symud i'r Alban. Fe fyddai'n rhaid
i ni wneud ffrindiau newydd.'

'PE BAI HYNNY'N DIGWYDD, BETH SY'N SY BOENI DI?'

Mae Rory yn sylwi bod ei gorff yn teimlo ychydig yn dawelach ac
mae'n cymryd sawl cam arall i lawr cyn ateb,

'Efallai na fydden ni'n cael llofft yr un, a byddwn i'n poeni
na fyddwn i'n gallu gwneud ffrindiau newydd yn gyflym.'

'RORY, MEDDYLIA AM Y CWESTIWN NESAF YMA'N OFALUS
IAWN. DEFNYDDIA DY HOLL GYHYRAU GALAR. PE BAI HYNNY'N
DIGWYDD, BETH FYDDAI MOR OFNADWY AM HYNNY?
A BETH FYDDAI RHYWUN RWYT TI WIR YN EI EDMYGU YN
EI DDWEUD WRTHYT TI?'

Gwrandawodd Rory ar y cyfarwyddyd, a meddyliodd am hynny'n ofalus iawn. Dewisodd feddwl am beth fyddai ei dad wedi'i ddweud.

'Pe bawn i a fy chwaer yn gallu aros gyda'n gilydd, mae'n debyg mai dyna sydd bwysicaf. Rwy'n meddwl y byddai fy nhad yn dweud wrtha i fy mod i'n wych ym maes chwaraeon – ac y dylwn i ymuno â'r tîm hoci yn syth. Drwy wneud hynny, fe wnei di ffrindiau'n fuan iawn.'

Roedd Rory bellach ar dir cadarnach. Roedd o (a'i fam) wedi syllu i fyw llygaid ei ofn gwaethaf a'i leihau i lefel lle'r oedd yn gallu ymdopi. Weithiau mae angen sylwi a thrafod yr ofnau a'r pryderon mawr hyn. Siaradodd Rory â'i fam, a darganfod bod cynllun wrth gefn pe bai'r peth mwyaf annhebygol yn digwydd iddi. Roedd bellach yn gallu rheoli ei ofn. Roedd y pwnc wedi cael ei godi.

Fe alli di wneud hyn hefyd. Beth bynnag sy'n dy boeni di, dychmyga siarad â Socrates a dringo i lawr wal pryderon yn araf drwy ailadrodd ac ateb yr un cwestiynau. Yn union fel Rory, byddi di'n gallu dod o hyd i **ateb** ar gyfer y sefyllfa sy'n dy boeni di a theimlo'n llawer tawelach dy feddwl.

Anaml iawn y bydd y pryderon mawr hyn yn digwydd mewn gwirionedd, ond weithiau mae angen i ni siarad drwy'r ofn er mwyn cael bod yn rhydd i fwrw ymlaen â'n bywydau.

Rhoi hapusrwydd yn ôl

Ar ôl i rywun farw, mae pobl yn aml yn hoffi gwneud rhywbeth ystyrlon i helpu eraill. Wyt ti wedi clywed am grŵp o'r enw **One Direction**? Maen nhw'n un o'r bandiau bechgyn mwyaf poblogaidd erioed. Cafodd un aelod o'r band, Louis Tomlinson, brofiad o alar pan fu farw ei fam Johanna o lewcemia yn 43 oed. Roedd hi'n ddylanwad pwysig ar fywyd Louis ac yn fuan ar ôl iddi farw, rhyddhaodd y gân *Just Hold On*.

Ddwy flynedd yn ddiweddarach, dioddefodd drychineb teuluol arall pan fu farw Félicité, chwaer 19 oed Louis.

Bu'n gyfnod anodd eithriadol o alar dwys. Ond mae'n deall erbyn hyn ei bod hi'n llawer haws iddo ymdopi a mân drafferthion arferol bywyd ar ôl profiadau mor enbyd.

> 'Oherwydd fy mod i wedi cael adegau tywyll iawn yn fy mywyd, maen nhw wedi rhoi lle i mi fod yn optimistaidd. Yn y pen draw, wrth feddwl am fy mhrofiadau i, dydy'r problemau bach pob dydd hyn ddim yn ymddangos cynddrwg.'

Fyddi di byth yn meddwl fel hyn? Gan dy fod ti wedi cael profiad **mawr**, mae hynny rywsut yn dy helpu i beidio â phoeni cymaint am y pethau bach?

Mae gan Louis dros 35 miliwn o ddilynwyr ar Twitter ac mae'n aml yn cysylltu â ffans sy'n galaru. Mae hefyd wedi gwneud llawer o waith elusennol, ac mae'n cynnig cefnogaeth dawel i blant a phobl ifanc sy'n ddifrifol wael ac sydd mewn perygl o farw. Mae'n hoffi gwneud hyn yn breifat ac yn ddiffwdan. Mae hefyd wedi datblygu meddylfryd galar i'w helpu i daro'n ôl wedi dyddiau anodd. O bryd i'w gilydd pan wyt ti'n enwog, mae rhai o'r dyddiau anodd hynny'n digwydd pan fydd pobl yn ysgrifennu pethau poenus a chelwyddog amdanat ti . Ar ddiwrnod gwael yn y wasg neu ar y cyfryngau cymdeithasol, dywedodd ei fod yn siarad â'i fam yn ei ben ac yn dweud wrtho'i hun, 'Iawn, Mam, gad i ni wneud rhywun yn hapus heddiw.' Yn amlwg, mae Louis yn credu mewn canolbwyntio ar helpu eraill yn hytrach na chanolbwyntio ar bethau sydd ag egni negyddol. Fe fydd wedyn yn chwilio am rywun sy'n cael amser anodd ac yn ceisio codi ei galon. Dyna ffordd wych o ddewis troi diwrnod anodd yn ddiwrnod arbennig i rywun arall.

Wyt ti'n gallu meddwl am bethau y galli di eu gwneud i wneud rhywun yn hapus heddiw?

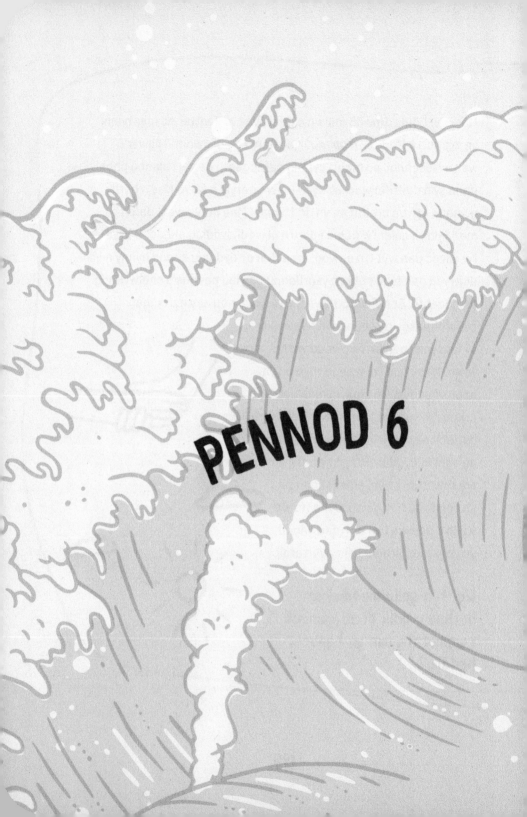

PENNOD 6

GWEITHIO, GORFFWYS A CHWARAE

Rydyn ni wedi edrych ar lawer o bethau, ac rwyt ti wedi gweithio'n galed ar dy holl weithgareddau galar. Mae'n amser nawr i orffwys a darganfod pa mor bwysig yw gorffwys a chwarae pan wyt ti'n galaru. Mae **chwarae** fel arfer yn hwyl, mae'n help i ymlacio ac mae'n creu **egni**. Mae'n dy helpu i ddefnyddio dy ddychymyg ac mae'n gallu tynnu sylw dy ymennydd oddi ar yr holl deimladau anodd rwyt ti'n delio â nhw. Mae dy ymennydd yn gweithio'n galed ofnadwy, felly mae angen digon o amser i orffwys ac adfer egni.

Cyhyr cydbwysedd

Yn y bennod hon, rydyn ni'n mynd i edrych ar ystwytho dy gyhyr **cydbwysedd**. Mae'r cyhyr hwn yn ddefnyddiol o ran cadw golwg ar bedwar maes sydd wir yn dy helpu i gydbwyso gofynion galar.

CYSGU, BWYTA, SYMUD a CHREU

CYSGU: mae cael noson dda o gwsg pan fyddi di'n galaru yn bwysig er mwyn i dy feddwl a dy gorff gael gorffwys yn iawn.

ch
ch
ch

Mae cysgu yn help go iawn i adfer dy egni pan fyddi di'n galaru.

Yn ddelfrydol, mae angen wyth i ddeg awr o gwsg da arnat ti bob nos. Sut mae gwneud hynny? Wel, mae'n debyg dy fod ti'n gyfarwydd â rhai o'r triciau'n barod – bath neu gawod gynnes (cynnes, nid poeth) cyn mynd i'r gwely. Cadw'r goleuadau ar lefel wan a diffodd sgriniau. Darllen yn dawel neu wrando ar stori dda neu gerddoriaeth ysgafn. Mae ymarferion anadlu dwfn tyner i dawelu'r corff a'r meddwl cyn i ti fynd i gysgu yn gallu dy helpu i **ymlacio** o ddifri. Ond os yw dy ymennydd yn dal i deimlo'n brysur, a meddyliau lu yn chwyrlïo ynddo, galli di gysgu â llyfr nodiadau wrth dy wely. Os wyt ti'n deffro yng nghanol y nos, galli di gadw cofnod o dy feddyliau a mynd yn ôl i gysgu ar ôl i ti setlo.

ch ch ch **ch**

Mae cwsg yn gyfnod pan mae'r corff a'r meddwl yn gallu gorffwys ac adfer ar ôl bod mor brysur yn ystod y dydd. Er ein bod ni'n cysgu ac yn breuddwydio, mae'r ymennydd yn dal wrthi'n anymwybodol yn ceisio cael trefn ar bethau. Pan oeddwn i'n ysgrifennu'r llyfr hwn, byddwn i'n deffro'n gynnar ar ôl noson dda o gwsg â syniad yn fy mhen a fyddai'n gweddu'n dda i'r llyfr. Roeddwn i'n teimlo'n falch bod fy ymennydd rywsut yn dal i ofalu amdana i tra oeddwn i'n cysgu.

ch ch ch **ch**

Ond cei di noson wael iawn o gwsg, mae'n bosib y byddi di'n deffro yn teimlo diffyg egni llethol, ac angen yr hyn sydd weithiau'n cael ei alw yn **ddiwrnod *duvet***. Wyt ti'n gyfarwydd â'r dyddiau hynny pan nad wyt ti'n gallu wynebu gorfod delio â phobl? Y cyfan wyt ti eisiau

ch **ch**

ei wneud yw swatio o dan y *duvet*, teimlo'n ddiogel, pendwmpian a breuddwydio. Mae'n bwysig peidio â mynd i'r arfer o osgoi pethau oherwydd galar, ond mae ambell ddiwrnod *duvet* yn ystod y flwyddyn gyntaf yn helpu pan fydd popeth yn ormod i ti.

Cysgu heb boeni

Gad i fi sôn am Amy. Roedd ganddi lond bag bach o **ddoliau pryder** wedi'u gwneud o begiau dillad. (Fe alli di eu prynu nhw os nad wyt ti eisiau gwneud rhai dy hun.) Mae'r syniad yn dod o Guatemela. Yn ôl y chwedl, mae plant Guatemela yn dweud un pryder wrth bob doli cyn iddyn nhw fynd i'r gwely, ac yn cadw'r doliau o dan eu gobennydd. Erbyn y bore, mae'r doliau wedi gwneud i'r pryderon deimlo'n llawer llai ac yn haws eu rheoli. Roedd Amy'n defnyddio ei doliau pryder ar ôl i'w ffrind gorau farw. Roedd hi wedi dychryn oherwydd bod rhywun o'r un oedran â hi wedi gallu marw ac na fyddai byth yn dod yn ôl. Sbardunodd hyn bob math o bryderon eraill, ond roedd adrodd un pryder wrth bob un o'r doliau bob nos yn ei helpu i ymdopi a pheidio â theimlo wedi'i llethu i'r fath raddau.

Os nad wyt ti'n hoffi doliau, mae'n bosib y bydd yn well gennyt ti hongian **rhwyd breuddwydion** uwchben dy wely. Mae rhai pobl yn dweud bod breuddwydion da yn treiddio i lawr drwy'r plu a'r gleiniau sy'n hongian oddi ar y rhwyd freuddwydion, ond mae breuddwydion anodd neu frawychus yn cael eu dal yn sownd yn y rhwyd.

BWYTA: mae angen tanwydd ar dy gorff er mwyn i ti allu adfer dy egni. Mae bwyta hefyd yn helpu gyda diffyg egni.

Y drafferth yw bod bwyta ar ôl i rywun farw yn dipyn o her. Mae rhai pobl yn colli eu chwant bwyd yn llwyr am gyfnod. Mae fel pe bai eu system dreulio yn cau i lawr oherwydd y sioc. Mae pobl eraill yn sylwi eu bod nhw'n bwyta mwy ar ôl ychydig — yn enwedig danteithion melys a bwyd cyflym. Bwyta cysur yw'r enw ar hyn. Os oes gennyt unrhyw bryderon am y ffordd orau o sicrhau dy fod ti'n cael **maeth da**, gofynna i rywun dy helpu di i fwyta'n dda. Bydd bwyta bwydydd maethlon yn helpu dy hwyliau ac yn gwella dy lefelau egni.

Mae bwyd yn aml yn gysur mawr, ac mae modd ei gysylltu â'r emosiynau. Oes yna fwydydd arbennig sy'n dy atgoffa o'r person rwyt ti'n ei gofio neu a fyddet ti'n hoffi rhoi un o'i hoff ryseitiau yn dy **focs atgofion**? Oes yna unrhyw ddyddiadau pan fyddai'n dda defnyddio'r rysáit i dy atgoffa o'r person sydd wedi marw?

FFAITH DDIDDOROL:

Oeddet ti'n gwybod bod llawer o gogyddion enwog wedi dioddef profedigaeth pan oedden nhw'n blant? Pobl fel Nigel Slater, Marco Pierre White, Rick Stein, Lisa Faulkner a llawer o rai eraill. Maen nhw'n dweud bod eu cariad at goginio bwyd blasus yn eu helpu i deimlo cysylltiad â'r bobl bwysig yn eu bywydau sydd wedi marw.

SYMUD: mae hyn mor bwysig er mwyn rhoi hwb i dy egni, clirio dy feddwl a dy helpu i deimlo llai o straen. Mae symud o gwmpas yn gallu bod yn llawer o hwyl hefyd!

Mae bod yn egnïol yn wych ar gyfer datblygu **cyhyr dycnwch**. Mae llawer o arwyr chwaraeon llwyddiannus iawn wedi dweud iddyn nhw ddefnyddio chwaraeon i'w helpu i ganolbwyntio ar ôl i rywun farw. Roedd anelu am nod arbennig yn golygu bod rhywbeth pendant iddyn nhw ganolbwyntio arno.

Wyt ti'n hoff o ryw fath o chwaraeon? Neu oes yna weithgaredd newydd y galli di roi cynnig arno? Allet ti gael gwared ar rywfaint o dy dristwch drwy chwysu? Mae gwneud dim byd ond symud o gwmpas yn helpu — mae cerdded ym myd natur neu ddawnsio i gerddoriaeth hefyd yn ffordd wych o wella dy hwyliau a dy lefelau egni.

Yn ogystal â symud, bydd dysgu sut i wneud ymarferion anadlu yn dy helpu i dawelu a gorffwyso'r corff. Mae **anadlu sgwâr** yn ymarfer da i dawelu rhywun. Dychmyga sgwâr, yna dychmyga symud dy fys yn araf o'r gornel chwith uchaf ar draws i'r gornel dde, gan anadlu i mewn wrth i ti wneud hynny. Dilyna'r llinell i lawr i'r gornel dde waelod ac anadlu allan yn araf. Dalia ati i symud o gwmpas y sgwâr, gan anadlu'n araf i mewn ac allan.

Mae **Tom Daley** yn ddeifiwr sydd wedi ennill medal Olympaidd. Cynrychiolodd Prydain yng Ngemau Olympaidd yr Haf 2008 pan oedd ddim ond yn 14 oed — y person ieuengaf o unrhyw genedl i gymryd rhan mewn rownd derfynol deifio y flwyddyn honno. Ar y pryd, roedd tad Tom yn cael triniaeth ar gyfer tiwmor ar yr ymennydd. Yn anffodus, bu farw ei dad yn 2011, ychydig ddyddiau'n unig ar ôl pen-blwydd Tom yn 17 oed. Flwyddyn yn ddiweddarach yn 2012, enillodd Tom fedal efydd yng Ngemau Olympaidd Llundain. Mae Tom yn ffan mawr o ddefnyddio anadlu i'w helpu i ymlacio a theimlo'n llai pryderus. Dywedodd unwaith, '... mae treulio dim ond deg eiliad i ganolbwyntio ar fy anadlu yn y bore, yn y nos neu hyd yn oed pan fydda i ar y bwrdd [deifio] ar fin cystadlu, wir yn fy helpu i anghofio unrhyw bryderon am beth allai fod wedi digwydd neu a allai ddigwydd eto, a dim ond byw yn y presennol.'

<u>CREU</u>: mae bod yn greadigol yn gallu dy helpu i ymlacio a gwella dy hwyliau hefyd.

Mae gwneud pethau rwyt ti'n hoff o'u gwneud mor bwysig i ti ar hyn o bryd. Efallai dy fod ti'n hoffi **peintio** neu **dynnu llun**? Neu dyfu pethau? Efallai dy fod ti'n hoffi **gwneud** pethau, ysgrifennu cerddi neu greu cerddoriaeth ac ysgrifennu caneuon? Efallai dy fod ti yn hoffi chwarae gemau cyfrifiadur neu godio. Does dim ots beth, cyn belled â'i fod yn rhoi'r cyfle i ti fod yn greadigol a'i fod yn rhoi'r egni i ti greu rhywbeth rwyt ti'n **ei garu**. Mae cerddoriaeth yn gallu bod yn arbennig o ddefnyddiol gyda galar. Mae'n caniatáu i deimladau ddod i'r wyneb, ac mae'n gallu dy annog i ddal ati a dioddef ag ildio. Mae llawer o bobl ifanc yn cael budd o ysgrifennu cerddoriaeth a chaneuon ar ôl profi colled mor fawr.

Mae galaru'n gallu dy flino
di'n ofnadwy, felly yn ogystal
â bwyta, cysgu a gwneud
yn siŵr dy fod ti'n symud,
cofia wneud amser yn ystod
y dydd i fod yn garedig
wrthyt ti dy hun.

Mae cerddoriaeth yn gallu helpu i wella dy gur

Fe wnaeth dau o'r cantorion-gyfansoddwyr enwocaf yn y byd gyfarfod yn fuan wedi i'w mamau farw. **Paul McCartney** a **John Lennon**. Roedden nhw aelodau o grŵp o'r enw The Beatles. Wyt ti wedi clywed amdanyn nhw?

Roedd y gân **Let It Be** yn bwysig iawn i Paul. Fe wnaeth ei chyfansoddi tra'n meddwl am ei fam, Mary. Mae'n enghraifft wych o sut y gall ysgrifennu cân i helpu pobl drwy gyfnodau anodd. Mae'r gân yn helpu Paul i deimlo bod ei fam gydag ef o hyd.

Mae'n ymadrodd bach sy'n cael ei ddefnyddio'n aml i annog pobl sy'n flin neu'n ymladd rhywbeth neu rywun — llacia dy afael, ymlacia, paid â phoeni am dy drafferthion. 'Let it be' — dyna fyddai mam Paul yn ei ddweud pan oedd yn ceisio stopio Paul a'i frodyr a'i chwiorydd rhag ffraeo — fel mae brodyr a chwiorydd yn dueddol o'i wneud. Mae'n dweud ei fod wedi ysgrifennu'r gân oherwydd bod gwybod ei bod hi'n agos yn rhoi cysur iddo, yn enwedig mewn cyfnodau trafferthus pan oedd eisiau iddi ei arwain gyda'i geiriau doeth.

Mae'n gân hyfryd a chadarnhaol sy'n cynnig cysur a gobaith. Rhoddodd y sicrwydd i Paul ddychmygu y bydd ei fam **gydag ef bob amser** pan fydd arno ei hangen fwyaf.

Wyt ti'n hoffi ysgrifennu caneuon neu farddoniaeth? Allet ti gyfansoddi rhywbeth a'i gadw yn dy focs atgofion?

Er mwyn dy helpu i ysgogi dy feddyliau creadigol, meddylia sut byddet ti'n ateb y datganiadau isod ac yna tro'r ymatebion yn gerdd neu gân:

Pe baen nhw'n gallu dod yn ôl am ddim ond pum munud, dyma fyddwn i eisiau iddyn nhw ei wybod . . .

Y pethau a wnaethon nhw neu a ddywedon nhw, sy'n fy nhywys i nawr . . .

Beth bydden nhw'n falch ohono o ran sut rydw i wedi ymdopi . . .

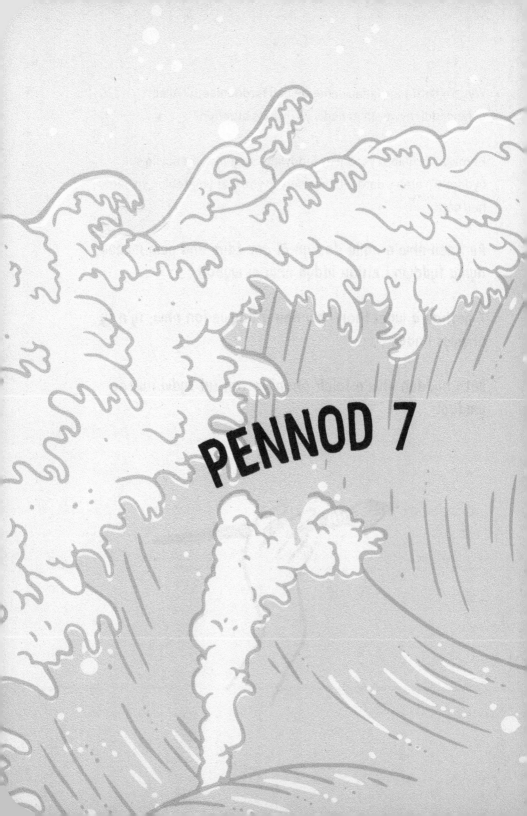

PENNOD 7

BRYD HYNNY, NAWR AC AM BYTH

'**W**rth i bob blwyddyn fynd heibio, mae fy ngalar wedi tyfu i fyny efo fi. Mae'n dal i frifo rai dyddiau yn fwy nag eraill. Mae hynny'n iawn ac rwy'n iawn.'

Roedd Zara yn dair oed pan fu farw ei thad. Ar 20fed pen-blwydd ei farwolaeth, ysgrifennodd y nodyn hwn.

'Mae'n debyg bod fy nhad yn foi eitha cŵl ... ond nid dyna rwy'n gweld ei eisiau amdano. Rwy'n gweld colli nad oedd o yma ar gyfer fy mhen-blwydd yn 11, 12 a 18, ddim yno yn fy seremoni graddio, ddim yno i ofyn ei farn ac, yn bwysicaf oll, ddim yno i fi gael gwybod sut beth fyddai ei gael o yno ... Rwy'n lwcus serch hynny, gan fod gen i lawer o bobl oedd yno ... mae fy mam yn lej. Mae hi'n gryf. Rwy'n lwcus.'

Wrth i Zara fyfyrio am y cyfnod o 20 mlynedd heb ei thad, roedd hi'n chwerthin wrth iddi gofio llun a dynnodd ar gyfer ei **bocs atgofion.**

'Pan oeddwn i'n chwech oed, fe wnes i'r portread teuluol mwyaf trawiadol: Mam, fy mrawd a minnau, Dad ar gwmwl a gŵr bonheddig hyfryd yn sefyll wrth ymyl fy mam.
"A phwy yw hwnna?" gofynnodd Mam.
"O, David Beckham," atebais.

'Mae'n deg dweud bod gen i chwaeth dda mewn dynion yn ifanc iawn!'

Mae amser yn pasio'n bwyllog ac yn araf ar lwybr galar. Zara a oedd yn teimlo fel bod ganddi **afal** yn sownd yn ei gwddf — pan oedd hi mor anodd dod o hyd i'r geiriau iawn, rhai na fyddai'n ei gwneud hi'n anodd i bobl wybod beth i'w ddweud. Nawr, mae Zara'n gallu siarad yn agored am ei galar.

Mae'r bennod hon yn ymwneud ag edrych ymlaen at y dyfodol. Er mwyn gweld o ble rwyt ti wedi dod ac i feddwl am y llwybr y byddi di'n ei ddilyn yn y **dyfodol** wrth i ti gario dy alar gyda ti fel oedolyn, gan ddefnyddio rhai **cyhyrau galar** da rwyt ti wedi'u datblygu dros amser, a'r adnoddau rwyt ti wedi'u dysgu ar hyd y ffordd.

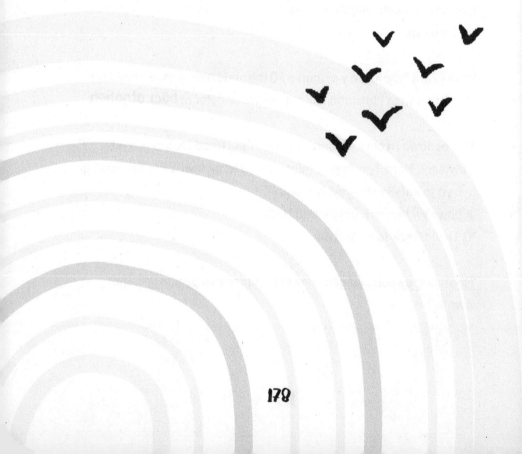

Dod drosti?

Mae'n od sut mae pobl weithiau'n gofyn a wyt ti wedi **'dod drosti'** mewn mater o wythnosau neu fisoedd. Efallai mai gobeithio dy fod ti'n teimlo'n hapusach maen nhw, ond eto mae'n gallu teimlo fel cwestiwn dryslyd iawn. Yn enwedig os oedd y person a fu farw yn rhan **fawr** iawn o dy fywyd.

Yn rhyfedd iawn, er bod galar yn gallu amsugno dy holl egni (yn enwedig ar y dechrau), mae pobl yn aml yn dweud ei fod yn rhywbeth maen nhw eisiau ei gadw. Maen nhw eisiau gallu dal gafael ar yr emosiynau ond heb gael eu llethu ganddyn nhw. Yn y darluniau sy'n dilyn, mae'r tri chylch cyntaf yn dangos sut mae pobl eraill yn **tybio** bod galar yn ffitio i mewn i dy fyd.

Mae hwn yn dy gynrychioli di ar ddechrau dy alaru, ar y pwynt pan fydd dy berson di newydd farw. Mae'n gallu teimlo fel ceisio hwylio ar fôr stormus mewn cwch bach, ac mae'n **llenwi dy fyd**. Mae cymaint o emosiynau cryf i gyd ar yr un pryd yn llyncu cymaint o egni, fel ei fod yn bosib i ti deimlo nad oes gennyt ti'r egni ar gyfer dim byd arall yn dy fywyd.

Yr ail gylch bach (chwe wythnos yn ddiweddarach, ddywedwn ni) yw sut mae pobl eraill yn **tybio** bod pethau'n dechrau teimlo wrth i amser symud yn ei flaen. Mae'n bosib bod y cefnfor stormus wedi tawelu ychydig, a thithau'n gwella'n ara' deg ... dwyt ti ddim?

Wedyn ar ôl chwe mis, mae'n bosib y bydd rhai pobl yn dechrau gofyn **'wyt ti'n dod drosti?'** Dwyt ti ddim yn y cwch ar y cefnfor stormus bellach — a dweud y gwir, ychydig ddiferion o ddŵr yw'r cefnfor erbyn hyn. Felly mae pobl yn cymryd yn ganiataol dy fod ti bron iawn wedi **dod drosti**. Dyna sut mae galar yn gweithio, ynte?

Nage. Nid dyna sut mae o'n gweithio.

Y <u>gwir amdani</u> yw ein bod ni'n raddol ...

180

Glob Galar

Efallai nad yw'r cylch galar yn llai, ond mae dy **tyd** wedi ehangu i ganiatáu **lle** i ti ailadeiladu. Mae galar yn dod yn haws ei reoli — mae yna wregys achub a goleudy i dy dywys di oddi wrth y creigiau pan fyddi di'n cael diwrnod anodd. Mae **tyfu o gumpas dy alar** yn cynnig lle i ti fachu ar gyfleoedd, trio pethau newydd, a hyd yn oed chwerthin lond dy fol weithiau! Ambell ddiwrnod, bydd y teimladau o dristwch dwys yn siŵr o ddychwelyd, fel yn fy achos i cyn mynd i weld y Frenhines, ond fyddan nhw ddim yn dy lethu di cymaint. Mae fel petai'r **cyhyrau galar** wedi helpu i ehangu dy fyd, ei wneud yn fwy ac yn gryfach. Mae mwy o le ar gael. Mwy o ocsigen i'w anadlu, fel dy fod ti nawr yn gallu symud ymlaen. Ambell ddiwrnod, byddi di ar y cwch unwaith eto, a'r môr braidd yn arw, ond mae'r galar a'r atgofion yn ddiogel y tu mewn i ti — ond heb fod mor llethol bellach.

Mae rhai pobl hefyd wedi dweud wrtha i, er na fydden nhw **byth** eisiau i'r person farw, fod galar wedi creu ffordd newydd o feddwl am bopeth. Rywsut, maen nhw bellach hyd yn oed yn fwy diolchgar am bethau roedden nhw'n eu cymryd yn ganiataol cynt. Mae cael ymdeimlad o **ddiolchgarwch** yn gwella dy ddycnwch. Mae'n dy helpu di i werthfawrogi bywyd a'r bobl sydd ynddo. Oherwydd dy fod ti'n gwybod sut beth yw colli rhywun, rwyt ti'n dewis byw bywyd i'r eithaf.

Dweud helô, nid ffarwél

Yn y cyflwyniad ar y dechrau, wyt ti'n cofio i fi sôn am yr angen weithiau i allu siarad yn agored ac yn onest â phobl? Wel, mae angen i ni hefyd allu siarad yn **agored** ac yn **onest** â'r person sydd wedi marw. Yn amlwg, bydd y sgyrsiau hynny'n digwydd yn ein calonnau a'n meddyliau gan nad yw'r person yma bellach i siarad yn uniongyrchol â ti. Mae'r adran hon yn ymwneud â sgyrsiau parhaus â'r person sydd wedi marw, er mwyn i ti allu teimlo heddwch ynglŷn â'r hyn sydd wedi digwydd a gallu wynebu'r dyfodol yn obeithiol.

Mae'n bryd i ti felly greu rhywbeth arbennig iawn i'w roi yn dy focs atgofion. Mae'n bryd cael **sgwrs bwysig** iawn yn uniongyrchol â'r person, rhag ofn bod yna unrhyw beth sy'n teimlo'n anorffenedig, unrhyw beth rwyt ti eisiau iddyn nhw ei wybod ond na chefaist ti gyfle i ddweud wrthyn nhw pan oedden nhw'n fyw.

Gobeithio y bydd rhoi dechrau brawddeg i ti ac yna gofyn i ti ei gorffen yn dy helpu i gael y sgwrs honno. Dyma un o'r ymarferion hynny sy'n addas i'w gwneud gyda rhywun sy'n dda am wrando. Efallai y bydd hefyd yn gofyn ambell gwestiwn yn ôl wedi i ti ateb, er mwyn gwneud yn siŵr ei fod yn deall sut rwyt ti'n teimlo. Mae'n bosib y byddi di'n ei chael hi'n anodd meddwl am ateb yn syth. Os felly, cofia drin dy hun yn garedig, rho amser i ti dy hun a gweld beth sy'n digwydd. Os wyt ti'n teimlo'n ddig neu'n siomedig am rai pethau, mae hynny'n iawn — bydda mor onest ag y galli di. Rwyt ti ar fin creu ...

Bocs Bach o Feddyliau Mawr

Yn gyntaf, chwilia am focs (bydd rhywbeth bach, maint pecyn o gardiau, bocs sebon neu amlen neis yn gweithio'n dda). Nesaf, gwna 20 o gardiau bach sy'n ffitio i mewn i'r bocs. Ar bob cerdyn, ysgrifenna ddechrau brawddeg i ti ei gorffen, naill ai drwy ysgrifennu neu ar dy ffôn neu ar gyfrifiadur. (Rwy wedi rhoi'r brawddegau i ti ar y ddwy dudalen nesaf.) Mae'n bosib y bydd rhai o'r cwestiynau hyn yn anoddach i'w hateb na'i gilydd, felly cofia gymryd dy amser, eu hateb yn eu trefn a gweld beth sy'n dod i'r golwg o ddyfnder dy isymwybod. Efallai y bydd rhai atebion yn ddoniol neu'n gariadus. Fodd bynnag, rwy'n gwybod hefyd nad oes neb yn berffaith. Dydy hyd yn oed pobl sy'n marw ddim yn berffaith. Felly, mae'n bosib y byddi di'n gadael i ti dy hun ddweud y pethau hynny wrth ateb ambell gwestiwn hefyd. Os felly, da iawn. Diben hyn yw bod yn **onest** a **dewr** — nid yn unig gyda'r atgofion hawdd ond gan gynnwys unrhyw ddarnau anoddach o dy stori.

CYFARWYDDIADAU

1. Dechreua bob cerdyn gydag Annwyl .... (enw'r person).
2. Nesaf, ysgrifenna'r 'sbardun sgwrsio' cyntaf isod ar dy gerdyn, a llenwa'r gweddill gan feddwl am dy berson di.
3. Llofnoda'r cerdyn a'i ddyddio, ac os wyt ti eisiau, dechreua ar yr un nesaf.
4. Plyga dy gardiau a'u storio yn dy focs bach neu dy amlen a'u cadw'n ddiogel yn dy focs atgofion.

* Gobeithio dy fod ti ...

* Paid byth ag anghofio ...

* Rwy'n teimlo mor falch pan ...

* Rwy'n chwerthin pan ...

* Rwy'n dymuno ...

* Rwy'n cofio pan ...

* Rwy'n difaru ...

* Dy ddewis di oedd ...

* Diolch am ...

* Roeddet ti'n disgleirio pan ...

* Pan mae pethau'n mynd yn anodd ...

* Rwy'n dy garu di oherwydd ...

* Nawr nad ydyn ni gyda'n gilydd, y peth rwy'n gweld ei golli fwyaf amdanat ti yw ...

* Rwyt ti'n arbennig oherwydd ...

- ✳ Rwy'n gobeithio y galla' i fod yn fwy ...

- ✳ Rwy am geisio bod yn llai ...

- ✳ Weithiau, rwy'n teimlo ein bod ni'n debyg oherwydd ...

- ✳ Rhywbeth sy'n wirioneddol bwysig o ran fy mywyd teuluol ...

- ✳ Un o fy hoff atgofion i am byth fydd ...

- ✳ Bryd hynny, nawr ac am byth ...

Os wyt ti'n gallu defnyddio cyfrifiadur ac argraffydd, ac y byddai'n well gennyt ti argraffu'r cardiau â sbardunau sgwrsio arnyn nhw'n barod, galli di lawrlwytho PDF o https://geni.us/LittleBoxOfBigThoughts

(ar gael yn Saesneg yn unig)

Ar ôl i ti wneud hyn, meddylia sut roeddet ti'n teimlo wrth gael y sgwrs honno â'r person sydd wedi marw. Oedd rhai atebion yn gwneud i ti chwerthin? Oedd yna ddagrau o ryddhad am dy fod ti, o'r diwedd, wedi dweud hynny'n uchel? Mae'n bosib y byddi di'n gweld emosiynau'n benodol yn cael eu crybwyll os wyt ti'n eu rhannu â rhywun. Mae'n ymarfer **mawr**. Dyna pam rwy'n ei alw'n Focs Bach o Feddyliau Mawr. Cadwa dy atebion yn ddiogel yn dy focs atgofion. Fe fydd hi'n ddiddorol i ti eu hailddarllen wrth i ti fynd yn hŷn. Efallai y byddi di hyd yn oed eisiau gweld sut byddet ti'n rhoi atebion gwahanol i'r cwestiynau yn ystod y flwyddyn neu ddwy nesaf.

Rwy'n mynd i dy gyflwyno di i Tom. Roedd Tom yn iau pan fu farw ei dad, ond ar ôl ei ben-blwydd yn 12 oed, penderfynodd gwblhau **Bocs Bach o Feddyliau Mawr** bob blwyddyn ar ben-blwydd ei dad.

Mae'n teimlo bod gwneud hynny'n ffordd dda o barhau'r cyswllt wrth iddo dyfu a datblygu. Ar gyfer pen-blwydd ei fam, lluniodd gyfres o'i gardiau iddi hi, gan ei fod yn gwybod ei bod hi'n cael trafferth gyda'i galar ac yn gweld colli ei dad. Roedd hi wrth ei bodd yn darllen sut roedd ei mab yn teimlo amdano, ac mae'n cysgu gyda'r cardiau o dan ei gobennydd gan eu bod nhw'n rhoi cymaint o **gysur** iddi. Oes yna rywun arall yn dy fywyd y byddet ti'n hoffi rhoi Bocs Bach o Feddyliau Mawr iddyn nhw?

Dy gryfderau

Rydyn ni wedi sôn llawer am gadw'n gryf, ond yn ddiddorol ddigon, dydw i ddim wedi gofyn i ti eto am dy gryfderau penodol dy hun. Felly amdani! Mae'n hwyl meddwl am y cryfderau penodol sydd gennyt ti a sut byddan nhw'n dy helpu di yn ystod dy fywyd. Er mwyn ei gwneud hi'n haws, rwy wedi rhestru nifer o wahanol gryfderau ar y dudalen nesaf i ti eu hystyried.

Wyt ti'n gallu dewis beth, yn dy farn di, yw dy **ddeg** cryfder mwyaf o'r awgrymiadau? Ychwanega rai dy hun os nad ydyn nhw yno. Os wyt ti'n barod i wneud hynny, byddwn i hefyd yn dy annog di i ofyn barn rhywun arall am dy gryfderau. Gofynna iddyn nhw beth maen nhw'n ei feddwl yw dy ddeg cryfder mwyaf. Gorau oll os galli di ofyn i dri neu bedwar person gwahanol a gweld pa rai (os o gwbl) sydd yr un fath. Os bydd sawl person yn sylwi ar gryfder penodol, byddi di'n gwybod bod hwnnw'n un o dy gryfderau arbennig. Mae **cyhyr hyder** yn hoff iawn o dderbyn adborth. Nid oherwydd bod yr hyn maen nhw'n ei ddweud yn wir bob tro, ond oherwydd bod deall sut mae pobl eraill yn dy weld di yn beth gwerthfawr iawn.

I dy roi di ar ben ffordd, dyma ddewis o rai **cryfderau** posib.

Rwy'n synhwyrol

Rwy'n dda ar wneud petha...

Rwy'n gryf

Rwy'n meddwl cryn dipyn

Rwy'n berson tawel

Rwy'n berson hwyliog

Rwy'n dda yn gwneud chwaraeon

Rwy'n gariadus

Rwy'n helpu pobl eraill

Rwy'n berson diddorol

Rwy'n fodlon tr... pethau newyd...

Rwy'n gorffen pethau rwy'n eu dechrau

Rwy'n ddibynadwy

Rwy'n deg

Rwy'n gallu newid

Rwy'n gwrt...

Rwy'n berson taclus

Rwy'n ofalus

Rwy'n hap...

Rwy'n barod i ddweud beth sydd ar fy meddwl

Rwy'n ddewr

Dydw i ddim yn gwastraff... dim byd

Mae'n hawdd cyd-dynnu â mi

Rwy'n gwneud pethau gydag eraill

Rwy'n gwneud i bobl chwerthin/ gwenu

Rwy'n ffrind da

Rwy'n gweithio'n galed

Rwy'n onest

Rwy'n gallu gwneud pethau ar fy mhen fy hun

Rwy'n ystyriol o deimladau pobl eraill

Rwy'n amyneddgar

Rwy'n dod dros y peth yn sydyn ar ôl cael fy mrifo

Rwy'n gallu gwneud pethau'n dda ac yn gyflym

Rwy'n garedig

Rwy'n barod i achub fy ngham fy hun

Rwy'n dda am wneud pethau

Rwy'n llawn egni

Rwy'n maddau i bobl pan maen nhw'n gwneud camgymeriadau

Rwy'n gallu dod o hyd i ffordd o wneud pethau

Rwy'n dda am ofalu am bethau

Gan ein bod ni wedi nodi dy ddeg cryfder mwyaf, mae'n bryd creu dy **Goeden Fywyd**. Rwy'n edrych ymlaen yn fawr at dy weld ti'n gwneud yr ymarfer hwn. Rwyt ti wedi gweithio mor galed i gyrraedd y pwynt hwn, a bydd y Goeden Fywyd yn dy atgoffa o sut rwyt ti, fel person ifanc, yn ymdopi â galar. Fe fydd yn beth gwych i'w gadw yn dy focs atgofion hefyd.

I ddechrau, edrycha ar yr **enghraifft o goeden** ar dudalennau 194–5. Nesaf, chwilia am bensil a darn **mawr** o bapur plaen a thynna lun coeden fawr yn y canol, â boncyff llydan, canghennau hir sy'n ymestyn allan a gwreiddiau dwfn i gadw'r goeden yn gadarn yn y pridd.

CAM UN

Y BONCYFF – cryfderau

Mae hon yn goeden gref. Does dim gwynt na chorwynt sy'n ddigon cryf i'w chodi o'i gwreiddiau. Mae'r boncyff ar goeden yn cryfhau wrth i'r goeden fynd yn hŷn. Y boncyff yw'r rhan o'r goeden sy'n cysylltu'r goron ddeiliog â'r gwreiddiau. Y boncyff sy'n anfon negeseuon tyfu o'r gwreiddiau i'r dail.

Ar y **BONCYFF**, mae lle i ti ysgrifennu dy ddeg cryfder mwyaf. Ysgrifenna nhw ar y boncyff neu wrth ei ymyl os nad oes digon o le.

CAM DAU

Y GWREIDDIAU – dy werthoedd

Mae gwreiddiau coeden yn bwysig iawn. Mae'r gwreiddiau yn sugno dŵr a maeth o'r pridd i fwydo'r goeden. Nid dim ond y goeden sy'n elwa ar y gwreiddiau. Maen nhw hefyd yn dda i'r pridd. Pan mae'n glawio, mae'r gwreiddiau yn dal y pridd yn ei le fel nad yw'n cael ei olchi i ffwrdd.

Fe fydd dod o hyd i dy wreiddiau yn dy helpu i weld dy werthoedd yn glir. Dylai'r geiriau rwyt ti'n eu hysgrifennu ar y gwreiddiau fod yn bethau sy'n bwysig i ti – dy **werthoedd**. Mae rhai o'r gwerthoedd hyn yn cael eu trosglwyddo o genedlaethau blaenorol, gan gynnwys y gwerthoedd rwyt ti eisiau dal gafael arnyn nhw a ddaeth oddi wrth bobl sydd wedi marw erbyn hyn. Byddi di'n teimlo ar dy fwyaf bodlon pan fyddi di'n gallu gweld dy werthoedd yn y ffordd rwyt ti'n byw dy fywyd nawr ac yn y dyfodol.

Mae'n amlwg o'r enghraifft ar dudalennau 194–5 fod y gwerthoedd yn ymwneud â bod yn onest, yn ddewr, byth yn ildio, gwneud y byd yn lle gwell drwy ofalu am bobl eraill a dangos parch a diolchgarwch. Beth yw rhai o'r gwerthoedd sy'n bwysig i ti ac efallai i dy deulu a dy ffrindiau hefyd? Pa werthoedd sy'n dy gadw ar y trywydd cywir wrth wneud dewisiadau am sut i fyw dy fywyd? Beth rwyt ti'n ei gredu sy'n hynod bwysig?

CAM TRI

Y CANGHENNAU – dy freuddwydion

Nesaf, dyma'r canghennau gwych sy'n ymestyn i fyny ac allan tuag at yr haul. Mae'r canghennau'n cynrychioli dy **obeithion** a dy **freuddwydion** ar gyfer y dyfodol. Efallai rhywbeth rwyt ti eisiau dod yn dda am ei wneud, swydd rwyt ti'n meddwl y byddet ti'n ei mwynhau, dy freuddwydion a dy obeithion ar gyfer teulu neu ffrindiau ... efallai dy fod ti eisiau anifail anwes? Efallai dy fod ti eisiau mynd i rywle arbennig yn y byd? Neu efallai dy fod ti eisiau bod yn hapus a bodlon dy fyd? Eistedda'n ôl a meddylia – tuag at beth rydw i am i ganghennau fy nghoeden fywyd ymestyn? Ysgrifenna dair breuddwyd fawr rwyt ti'n dyheu iddyn nhw ddigwydd yn y dyfodol a thri pheth llai rwyt ti am iddyn nhw ddigwydd yn gynt. Os oes gennyt ti fwy, gwna nodyn o'r rhain hefyd.

CAM PEDWAR

Y DAIL – dy bobl allweddol

Nesaf, mae angen i ni ychwanegu dail bytholwyrdd at dy goeden. Mae'r dail yn cynrychioli:

* pobl yn dy fywyd nawr rwyt ti'n **ymddiried ynddyn nhw**
* pobl rwyt ti'n **eu parchu**
* pobl sy'n dy **annog** di
* pobl sy'n gwneud i ti **wenu**
* yr holl **ffrindiau a theulu** sy'n bwysig i ti
* efallai dy fod ti eisiau ychwanegu ambell berson enwog sy'n dy **ysbrydoli** di

Ysgrifenna'r holl enwau ar ddail unigol. Mae'n bosib mai dim ond ychydig bach o ddail sydd gennyt ti. Os oes gennyt ti deulu mawr neu lawer o ffrindiau, bydd gennyt ti fwy o ddail – dewisa'r bobl sydd bwysicaf i ti. Mae croeso i ti gynnwys pobl fel athro sy'n dy ddeall di neu hyfforddwr sy'n dy helpu i wneud rhywbeth yn dda.

CAM PUMP
YR HAUL – dy egni

Yn olaf, mae angen haul arnom ni er mwyn i'r goeden allu tyfu'n gryf ac yn iach. Ar belydrau'r haul, ysgrifenna **bum peth** sy'n rhoi **egni** i ti. Y pethau sy'n dy helpu di i feithrin yr egni i ymdopi â dy alar. Y pethau grymusol sy'n sbarduno llawenydd ac yn dy helpu i deimlo'n hapusach ac yn fwy gobeithiol.

Dyna ti wedi gorffen – rwyt ti wedi tynnu llun o **Goeden Fywyd** gadarn a gobeithiol. Cymer gam yn ôl, edrych arni a gad i dy hun deimlo'n falch. Fydd gan neb arall yr un goeden yn union oherwydd dy fod ti'n **unigryw**. Ac os bydd pethau heriol yn digwydd i ti yn y dyfodol, unrhyw beth sy'n teimlo'n anodd – chwilia am y goeden hon yn dy focs atgofion i dy atgoffa dy hun o'r hyn sy'n dy wneud di'n gryf ac yn obeithiol. Fe fydd dy goeden yn newid wrth i dy fywyd newid, ond mae'n bosib na fydd ambell ran o'r goeden byth yn newid. Cofia nodi'r dyddiad ar dy goeden a faint oedd dy oed di ar y pryd. Ymhen pum mlynedd, galli di wneud coeden arall a sylwi ar unrhyw newidiadau.

Fy Nghoeden Fywyd

Mae'n rhoi egni i mi!

- Sgwrsio gyda fy ffrindiau
- Chwarae gemau fideo gyda fy mrawd
- Mynd allan i redeg
- Reidio beic gyda Jake
- Noson ffilmiau gyda Mam

Anti Laura

Mynd yn filteddyg

Fy athrawes

Cael fy nghi fy hun

Jake

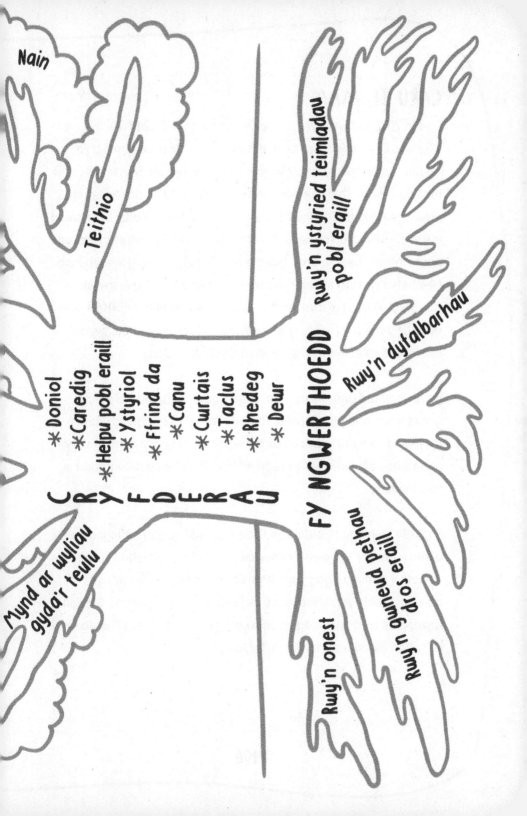

Nain

Teithio

Rwy'n ystyried teimladau pobl eraill

Rwy'n dyfalbarhau

FY NGWERTHOEDD

C — *Doniol
R — *Caredig
Y — *Helpu pobl eraill
F — *Ystyriol
D — *Ffrind da
E — *Canu
R — *Curtais
A — *Taclus
U — *Rhedeg
    *Dewr

Mynd ar wyliau gyda'r teulu

Rwy'n onest

Rwy'n gwneud pethau dros eraill

CARU TI, MAM

Roedd 2012 yn flwyddyn fawr iawn yn Llundain. Roedd hi'n flwyddyn y Gemau Olympaidd, ac roedd pawb ledled y Deyrnas Unedig yn teimlo'n falch iawn o'n hathletwyr. Roedden ni'n disgwyl ennill medalau mewn rhai campau, ond doedden ni ddim mor hyderus mewn campau eraill. Doedden ni ddim wedi ennill medal Olympaidd mewn jiwdo ers 12 mlynedd. Mae'r stori hon am ferch ifanc a gurodd bencampwr y byd, Audrey Tcheuméo o Ffrainc, i ennill medal arian. Mae hefyd yn stori am alar yn taro heibio ar un o adegau pwysicaf ei bywyd, a'r byd i gyd yn gwylio. Ei henw yw **Gemma Gibbons**. Pan oedd Gemma yn tyfu i fyny ac yn mynychu cystadlaethau, byddai llais cefnogol ei mam i'w glywed yn gweiddi o'r dorf.

Gadawodd tad Gemma cyn iddi gael ei geni, a chafodd ei magu gan ei mam ar ei phen ei hun. Roedd hi'n gweithio'n galed. Mewn cyfweliad unwaith, soniodd Gemma nad oedd ganddyn nhw lawer o arian a bod ei mam wedi cysegru ei bywyd i'w helpu hi i wireddu ei photensial.'

Yn 2004, pan oedd Gemma yn 17 oed, cafodd ei mam ddiagnosis o fath o ganser y gwaed o'r enw lewcemia. Er bod modd ei drin, wnaeth y driniaeth ddim gweithio i fam Gemma. Chwe mis yn ddiweddarach, yn anffodus, bu farw ei mam. Cynhaliwyd y Gemau Olympaidd wyth mlynedd yn ddiweddarach, 20 munud i ffwrdd o'r tŷ lle'r oedd Gemma a'i Mam yn arfer byw.

Dywedodd nain Gemma fod marwolaeth ei mam wedi gwneud Gemma yn fwy penderfynol fyth o lwyddo.

Roedd miliynau o wylwyr ledled y byd yn gwylio Gemma mewn gornest galed iawn yn erbyn pencampwr y byd. Pan ddaeth yn amlwg ei bod hi wedi ennill, disgynnodd Gemma i'w phengliniau yn llawn dagrau. Edrychodd tua'r nef a sibrwd y geiriau

'CARU TI, MAM'

Sylwodd miliynau o bobl ar ddagrau a geiriau tawel Gemma.
Yn yr eiliad honno, roedd pawb yn dyst i'r ffaith fod galar wedi dod
yn **ffrind** iddi. Roedd yn ffordd naturiol iawn o ganiatáu i Gemma
rannu ei llwyddiant â'r person oedd bwysicaf iddi – ei mam. Roedd y
sylwebyddion yn eu dagrau, ac fe wnaeth y Prif Weinidog ar y pryd,
David Cameron, fynnu sgwrs bersonol â Gemma am ei champ. Ond
roedd wedi sylwi ar fwy na'i llwyddiant. Yn union fel ti, roedd yn gallu
gweld sut roedd hi wedi gweithio'n galed i ddatblygu'r holl **gyhyrau
galar** er mwyn ymdopi â'i galar. Mae galar yn gallu uno pobl. Roedd
mab ifanc David Cameron, Ivan, wedi marw dair blynedd ynghynt.

Pan ofynnodd newyddiadurwr i Gemma am ei neges i'w mam, ei
hymateb syml oedd nad oedd hi wedi cael y cyfle i ddiolch yn iawn
i'w mam, ac mai dyna oedd wrth wraidd ei geiriau. 'Roeddwn i'n
teimlo y byddai hi'n bendant yn **falch** ohona i heddiw. Roedd hi'n
bopeth i mi.'

Dagrau **hapus** ...
Er nad ydyn nhw
yma i weld dy
hapusrwydd,
gallan nhw fod yn
dy **galon** –

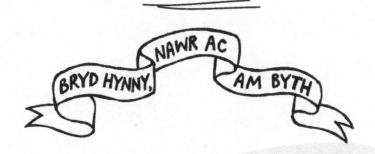

BRYD HYNNY, NAWR AC AM BYTH

Wyt ti wedi gwylio'r ffilm Disney *The Lion King*? Yn y ffilm, mae'r cenau bach, Simba yn cael ei orfodi o dir ei deulu ar ôl i'w dad Mufasa gael ei lofruddio gan ei ewythr mileinig, Scar. Flynyddoedd yn ddiweddarach, mae'n dychwelyd fel llew ifanc cryf yn barod i adennill ei orsedd ac arwain ei lwyth.

Ond cyn hynny, mae Simba yn cael ei **antur galar** ei hun. Am gryn dipyn, mae'n teimlo'n unig iawn ac ar goll. Mae'n cael llawer o hwyl gyda Timon y mirgath a Pumbaa y baedd dafadennog — *warthog* — ei ddau ffrind doniol sy'n codi ei galon ac yn ei helpu i dynnu ei sylw oddi ar ei alar. Yn y pen draw, mae'n ymddiried yn ei ffrindiau arbennig, Nala a Zazu, ac yn gadael iddyn nhw glosio ato a dangos y ffordd iddo. Weithiau, mae hyd yn oed yn ddigon hyderus i ddangos ei ddicter a cholli deigryn yn eu cwmni. Yn anffodus, roedd Simba yn teimlo'n ofnadwy o euog, gan gredu ei fod wedi cyfrannu at farwolaeth ei dad pan ruthrodd gyr o anifeiliaid drosto. Doedd o ddim, ond roedd yr euogrwydd hwnnw wedi ei arwain ar lwybr cymhleth ac unig iawn. Roedd yn IAWN yn yr ystyr Isel ei hwyliau, Ar wahân, Wedi blino a Nerfus. Ond yn y ffilm, rwyt ti'n gweld sut mae Simba yn dechrau datblygu ei gyhyrau galar ac yn dechrau credu ynddo'i hun unwaith eto. Mae cân wych yn y ffilm o'r enw *Circle of Life*, sy'n cael ei chwarae ar y dechrau pan mae Simba'n cael ei eni, ac eto ar y diwedd pan mae'n dychwelyd i'w famwlad i arwain y llwyth.

Mae yna gant a mil o **lwybrau galar**. Dilynodd Simba ei lwybr ei hun, a byddi di'n dilyn dy un dithau. Byddi di'n cyrraedd mannau lle mae angen i ti ddewis sut rwyt ti'n defnyddio'r cyhyrau galar hynny i ystyried pethau wrth iddyn nhw godi.

Cyhyrau galar

Dyma gyfle i atgoffa'n hunain am saith cyhyr galar a sut gallan nhw dy helpu di nawr ac yn y dyfodol:

1. YMDDIRIEDAETH — Dewis siarad yn agored â phobl sydd eisiau deall ac yn gwrando

2. HYDER — Bod yn siŵr ohonot ti dy hun

3. COFIO — Creu storfa atgofion sy'n gallu cynnig cysur a thawelwch meddwl i ti

4. MEDDYLFRYD GALAR — Credoau sy'n dy helpu di i dyfu y tu hwnt i dy golled

5. DYCNWCH — Dod o hyd i dy gryfder mewnol ac edrych ymlaen

6. TEIMLADAU HYBLYG — Eu dangos, peidio â'u dangos. Eu rhannu, peidio â'u rhannu

7. CYDBWYSEDD — Dod o hyd i amser i orffwys a chwarae. Dal gafael ar y gorffennol, llacio gafael i ailadeiladu dy fywyd

Pan mae rhywun yn marw, mae hyn yn taflu cysgod dros dy blentyndod. Mae'n cymryd tipyn o amser i'r haul dywynnu eto. Mae'r darlun ar glawr blaen y llyfr hwn yn cyfleu pa mor gythryblus yw galar. Mae angen nerth i gadw'r cwch ar y llwybr cywir ac i sylwi ar y bobl sy'n llewyrchu golau i dy dywys yn ddiogel i'r lan a thaflu gwregys achub atat i dy gynnal.

GWERSI GAN LIAM

Un person ifanc a gafodd gyfnod anodd tra oeddwn i'n ysgrifennu'r llyfr yma yw bachgen o'r enw **Liam**. Roedd newydd symud i'r ysgol fawr pan newidiodd ei fywyd teuluol yn ddramatig. Dair blynedd ynghynt, roedd bywyd teuluol Liam eisoes wedi newid yn fawr wedi i'w dad adael. Dywedodd Liam, sydd bellach yn 12 oed, wrtha i fod ei daid (yr oedd yn ei weld bob dydd) wedi marw o'r coronafeirws. Cafodd drafferth ofnadwy ar y dechrau gan ei fod eisiau ei weld yn yr ysbyty cyn iddo farw ac nid oedd yn gallu ymweld. Er ei fod yn gwybod mai dyna oedd y rheolau, roedd yn dal i deimlo'n **gandryll**. Fe fyddai Liam hefyd yn poeni'n dawel bach pan glywai straeon yn disgrifio pobl ifanc fel 'arch-ledaenwyr'. Roedd yn poeni sut roedd ei daid wedi dal y feirws, ac ar ddyddiau du, byddai hyd yn oed yn poeni ei fod o bosib wedi ei ddal ganddo fo. Er hynny, wnaeth o ddim sôn gair wrth neb erioed. **Cuddiodd ei alar yn llwyr**. Roedd perygl i'w losgfynydd ffrwydro. Yr un dicter a deimlodd dair blynedd ynghynt pan adawodd ei dad.

Roedd mam Liam mewn sioc lwyr yn dilyn marwolaeth ei thad. Teimlai ei bod hi wedi colli popeth, ac roedd hi'n ei chael trafferth sylwi sut roedd Liam yn ymdopi, yn enwedig pan oedd e'n dweud ei fod yn iawn. Doedd Liam ddim wir yn iawn. Roedd yntau hefyd yn iawn yn yr ystyr isel, ar wahân, wedi blino a nerfus. Ar ben hynny, roedd yn gandryll.

Roedd Liam yn llusgo teimladau **trwm** a **thywyll** i bob man gyda fe. Fe fyddai'n ymladd â rhywun yn yr ysgol bron bob dydd. Teimlai fel ffrwydro pan fyddai rhywun yn sôn am y feirws, neu pan fyddai cyfeiriad ato ar y newyddion. Doedd Liam ddim yn gallu siarad am farwolaeth ei daid. Roedd yn rhy gignoeth.

Roedd dicter yn tagu ei holl deimladau eraill.

Roedd Liam yn aelod o garfan traws gwlad yr ysgol. Roedd ganddo diwtor blwyddyn gwych, Mr Hopton, a oedd yn ei adnabod yn dda (gan y byddai athrawon eraill yn anfon Liam i'r cwb cosb yn rheolaidd!). Gallai Mr Hopton weld y tu hwnt i ymddygiad anodd Liam, a dyfalodd mai poen meddwl oedd wrth wraidd ei **ddicter**. Doedd Mr Hopton ddim yn ddi-asgwrn-cefn — roedd yn gadarn a chyfeillgar. Roedd Liam yn gwybod y gallai ymddiried ynddo.

Un prynhawn ar ôl ysgol, dyma'r ddau'n dod o hyd i ofod diogel a thawel i greu **Bocs Bach o Feddyliau Mawr**. Gwnaeth un ar gyfer ei daid ac un arall i'w dad (a oedd yn dal yn fyw ond bellach yn byw dramor). Fe wnaethon nhw gytuno mai dim ond Liam a Mr Hopton fyddai'n darllen y cardiau. Drwy wneud hyn, roedd modd i Liam gael sgwrs ddewr ac archwilio ei ddicter mewn ffordd ddiogel, yn enwedig ei ddicter tuag at ei dad. Lleddfodd y dicter yn raddol, a daeth tristwch ofnadwy i lenwi'r bwlch. Ond roedd yn rhyddhad mawr.

Dechreuodd deimlo y gallai ffarwelio â'i daid yn ei ffordd ei hun.

Roedd yn anodd ymateb i rai o'r cwestiynau yn y **Bocs Bach o Feddyliau Mawr** — gallai deimlo dagrau'n cronni yn ei lygaid wrth feddwl am ei dad a'i daid a'r holl bethau roedden nhw'n arfer eu gwneud gyda'i gilydd. Roedd hynny i gyd wedi mynd erbyn hyn. Ond stopiodd Liam gael yr hunllef a oedd yn ei ddihuno yn y nos, am fethu mynd i mewn i'r ysbyty, ac anaml y byddai'n cael yr hunllef arall hefyd, sef yr un am ei dad yn gadael. Fe wnaeth Mr Hopton hefyd helpu Liam i wneud **bocs atgofion** â lluniau o'i daid.

Dywedodd Liam wrtha i ei fod nawr yn mynd o gwmpas y tŷ yn 'canu'n uchel fel eu bod nhw'n gallu clywed.' Eglurodd fod ei daid wrth ei fodd gyda Bruce Springsteen, felly mae'n chwarae cân gan Bruce Springsteen — *Born to Run* — yn uchel yn ei ystafell wely. Pan gafodd ei ddewis ar gyfer y tîm traws gwlad, ysgrifennodd nodyn i'w daid a'i roi yn ei focs atgofion. Yn sicr, dydy o **ddim wedi dod dros y brofedigaeth**, ond yn araf bach, mae Liam yn **dechrau arfer**. Mae Liam a'i fam yn dod o hyd i ffyrdd o symud ymlaen yn raddol. Mae rhai dyddiau'n anodd, a dyddiau eraill yn teimlo'n haws.

Mae meddwl am athro Liam yn sylwi ac yn ei helpu pan oedd yn cael trafferth, yn gwneud i fi wenu. Rwy hefyd mor falch wrth feddwl am ddewrder Liam wrth wynebu ei ofnau a'i ddicter. Fe wnaeth hyd yn oed adael i Mr Hopton gael cipolwg ar ei dristwch. Defnyddiodd elfennau o'i becyn cymorth galar ac mae bellach yn tyfu i fyny gyda galar mewn ffordd iach. Chwiliodd am ffyrdd eraill o fynegi ei deimladau. Ei ffordd ei hun. Roedd rhedeg pellter mawr hefyd yn bwysig iawn fel ffordd i Liam reoli ei ddicter.

Ac yn union fel ti, mae Liam yn dechrau hyfforddi ei hun i ddefnyddio'i holl **gyhyrau galar**.

Fe fydd yfory'n ddiwrnod da

Gobeithio y byddi di'n rhannu peth o'r hyn rwyt ti wedi'i ddarllen â'r bobl yn dy fywyd, ac y byddan nhw'n dy gefnogi ac yn dy helpu i wneud dewisiadau da am sut rwyt ti'n symud ymlaen. Gall yr oedolion hyn fod yn berthynas neu'n hyfforddwr chwaraeon, yn arweinydd ffydd neu efallai'n athro ysgol y mae gennyt ti feddwl mawr ohono. Efallai y byddi di hefyd yn cyfarfod pobl sydd wedi bod drwy'r un profiad pan oedden nhw'n blant, ac yn syml ddigon, yn deall. Mae llawer ohonyn nhw wedi fy helpu i wrth ysgrifennu'r llyfr hwn. Un person arall a wnaeth fy ysbrydoli oedd **Capten Syr Tom Moore**. Efallai dy fod ti wedi clywed amdano. Yn ystod y pandemig, ac yntau'n 100 oed, dechreuodd gerdded gyda'i ffrâm, un cam ar

y tro, er mwyn codi arian i'r Gwasanaeth Iechyd. Roedd ei gamau bach pwrpasol yn ein hysbrydoli ni i gyd i feithrin **dycnwch** yn ystod y cyfnod anodd iawn hwnnw pan fu farw cymaint o bobl o'r feirws. Dioddefodd Capten Tom golledion lu yn ystod ei oes, ond roedd ganddo feddylfryd a wnaeth ei helpu, yn amlwg iawn, i fod yn **tòs ar golled**. Roedd bob amser yn dweud yn obeithiol, 'Bydd yfory'n ddiwrnod da.' Yn ei gyfrol am ei fywyd a'i golledion, dywedodd, 'Ac os mai yfory yw fy niwrnod olaf, a bod pawb a gerais yn aros amdana i, yna bydd yfory'n ddiwrnod da hefyd.' Bu farw Capten Tom o'r coronafeirws a niwmonia ar y diwrnod roeddwn i'n gorffen ysgrifennu'r llyfr hwn. Roedd yn deimlad trist iawn bod ffrind mor ddibynadwy i'r byd, taid pawb, wedi'n gadael ni. Dydy marwolaeth ddim yn chwalu'r berthynas — bydd gyda ni am byth. Recordiodd fersiwn o gân o'r enw *You'll Never Walk Alone*. Llwyddodd i gyrraedd rhif un yn y siartiau — y person hynaf erioed i gyflawni'r gamp. Mae geiriau'r gân honno mor bwysig.

Dwyt ti ddim ar dy ben dy hun

Rwyt ti wedi gorfod wynebu her fawr iawn yn gynnar yn dy fywyd. Byddai'n dda gen i pe bai hynny heb ddigwydd i ti. Ond rwyt ti bellach yn perthyn i grŵp o bobl sydd wedi gorfod wynebu colled **sylweddol** wrth iddyn nhw dyfu i fyny. Rwyt ti'n sicr o gyfarfod rhywun arall yr un oedran â ti sydd hefyd wedi cael profiad o alar. Cadwa olwg amdanyn nhw, oherwydd bydd yna lawer o bobl ifanc sydd wedi colli perthynas neu ffrind yn ystod eu plentyndod. Dwyt ti ddim ar dy ben dy hun.

Mae 41,000 o blant yn colli
rhiant bob blwyddyn.
Dyna 112 o blant sy'n dioddef profedigaeth
bob dydd. Byddai'r niferoedd hyn yn uwch o
lawer pe baen ni'n cynnwys marwolaethau
neiniau a theidiau, brodyr a chwiorydd,
perthnasau eraill a ffrindiau.*

Fe fydd 5.6 miliwn o blant yn yr Unol
Daleithiau yn colli rhiant,
brawd neu chwaer cyn iddyn nhw
droi'n 18 oed, hynny yw, 1 o bob 13.**

* winstonswish.org/about-us/facts-and-figures

** judishouse.wpengine.com/research-tools/cbem

Does dim ffordd gywir nac anghywir o alaru, mae angen i ti ddod o hyd i dy ffordd dy hun. Rydyn ni bron iawn ar ddiwedd y llyfr ... beth oedd y rhan bwysicaf i ti? Oes un peth sy'n mynd i allu bod o fudd i ti, rhywbeth i ti dy atgoffa dy hun ohono yn ystod y dyddiau anodd? Rhywbeth a wnaeth i ti wenu, efallai? Gobeithio y byddi di'n parhau i ychwanegu pethau at dy **focs atgofion** a dy gasgliad digidol o luniau a ffilmiau.

Fe fydd galar yn dal i fod yno gyda ti wrth i ti dyfu i fyny. Mae'n debyg y bydd yno am byth. Mae'n dod yn rhan ohonot ti. Wrth i ti fynd yn hŷn, daw'r adeg i ti adael ysgol a gadael cartref, a byddi di rywbryd yn edrych ymlaen at fynd i'r coleg neu i fyd gwaith. O bryd i'w gilydd, bydd galar yn rhoi tap ar dy ysgwydd, yn union fel y digwyddodd i Gemma pan enillodd ei medal arian yng Ngemau Olympaidd Llundain. Ond y gwir amdani yw bod y bobl rydyn ni'n eu caru yn aros yn fyw y tu mewn i ni. **Dydy cariad byth yn marw**, a dyna pam mae'r llyfr hwn wedi'i gyflwyno i fy nhaid hyfryd, a fu farw amser maith yn ôl. Ei farwolaeth sydyn oedd y tro cyntaf i fi alaru — ac fe gefais fy ysgwyd o'm corun i'm sawdl.

Diolch am ddarllen y llyfr hwn. Rwy'n gwybod nad yw'r un fath â llyfrau eraill. Gobeithio y bydd yn dy helpu di a'r oedolion hynny sydd â meddwl mawr ohonot. Cadwa'r llyfr yn ddiogel yn dy focs atgofion gyda dy holl drysorau eraill. Edrycha arno eto pan fyddi di'n teimlo'r angen, neu rho ei fenthyg i eraill os wyt ti'n meddwl y byddai'n werth iddyn nhw ei ddarllen.

Wrth i ti dyfu i fyny, mae gen i deimlad y byddi di eisiau helpu eraill sydd ar gam cynharach yn eu taith alar. Byddan nhw'n gweld yn fuan iawn dy fod ti'n **rhywun sydd wir yn deall** beth maen nhw'n mynd drwyddo. Byddi di'n gallu gwrando ac efallai cynnig ambell awgrym i dawelu eu meddyliau, waeth beth yw eu sefyllfa . . .

FE FYDDAN NHW'N IAWN,

yn union fel ti,

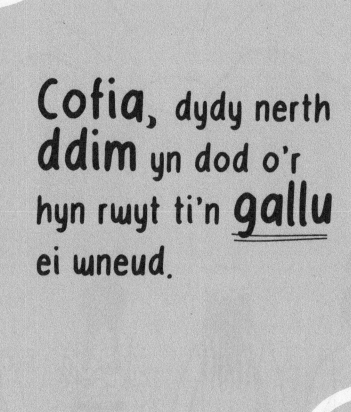

Cofia, dydy nerth ddim yn dod o'r hyn rwyt ti'n gallu ei wneud.

Mae **nerth go iawn** yn dod drwy **oresgyn** y pethau roeddet ti'n meddwl dy fod ti'n **methu** eu gwneud.

RHAGOR O GYMORTH

Mae rhestr isod o rai o'r llinellau cymorth a gwefannau yn y Deyrnas Unedig sy'n brofiadol iawn wrth siarad â rhieni sy'n poeni am blentyn neu berson ifanc. Rwy'n awgrymu dy fod ti'n gofyn i oedolyn ffonio'r llinellau cymorth er mwyn gweld pa gymorth ychwanegol allai fod ar gael. Efallai y byddi di hefyd eisiau edrych ar adrannau 'Pobl Ifanc' y gwefannau hyn — maen nhw'n cynnwys ffilmiau byr gwych o bobl ifanc yn sôn am eu profiadau. Mae rhai sgyrsiau wedi'u cymedroli ar gael hefyd, a chyfle i ti ofyn cwestiynau ar-lein. Mae rhai gwasanaethau arbenigol hefyd ar gael i helpu plant i gyfarfod â phlant eraill sydd wedi dioddef profedigaeth drwy amgylchiadau penodol, fel hunanladdiad, marwolaethau milwrol neu lofruddiaeth a dynladdiad. Gobeithio'n arw y cei di gyfle i ddod o hyd i unrhyw gymorth ychwanegol sydd ei angen arnat ti, naill ai ar-lein neu yn dy ardal leol.

Winston's Wish: Giving hope to grieving children
08088 020 021 — www.winstonswish.org; help2makesense.org

Child Bereavement UK
0800 02 888 40 — www.childbereavementuk.org

Hope Again: Young people living after loss
0808 808 1677 — www.hopeagain.org.uk

Grief Encounter
0808 802 0111 — www.griefencounter.org.uk

Rhwydweithiau profedigaeth i blant

Yn y Deyrnas Unedig ac Iwerddon, mae dau brif rwydwaith ar gyfer pobl broffesiynol sydd eisiau helpu plant a phobl ifanc mewn profedigaeth. Galli di chwilio ar y ddwy wefan (cyfeiriadau isod) am gefnogaeth sy'n lleol i ti.

www.childhoodbereavementnetwork.org.uk
www.childhoodbereavement.ie

Cymorth y tu allan i'r Deyrnas Unedig

Ewrop — http://bereavement.eu

Seland Newydd — www.skylight.org.nz

India — https://palliumindia.org/2020/10/sukh-dukh-helpline

De Affrica — www.khululeka.org

Awstralia — www.childhoodgrief.org.au

Yr Unol Daleithiau — www.dougy.org

FFYNONELLAU ALLWEDDOL

Stokes J. Resilience and bereaved children: Helping a child to develop a resilient mind-set following the death of a parent. *Bereavement Care* 28 (1), 9–17, 2009.

Stroebe M.S. and Schut H. The Dual Process Model of Coping with Bereavement: rationale and description. *Death Studies* (1999). 23:197–224.

Tonkin L. Growing Around Grief: Another way of looking at recovery. *Bereavement Care* (1996); 15 (1):10

DYFYNIADAU (YN ÔL EU TREFN)

Syr Bobby Charlton. Cyfweliad yn *History of Football*, 10 Rhagfyr 2015. https://www.youtube.com/watch?v=4WRL3KDQsMU, cyrchwyd 23 Ionawr 2023.

Dawn French. *Dear Fatty* gan Dawn French. (Arrow: 2009).

Nelson Mandela. 'Nelson Mandela, the father'. *The New Yorker*, 3 Ebrill 2013. https://www.newyorker.com/news/news-desk/nelson-mandela-the-father, cyrchwyd 23 Ionawr 2023.

Ruth Bader Ginsberg. *RBG.* (CNN Films 2018).

Joe Biden. *Promise Me, Dad: A Year of Hope, Hardship and Purpose* gan Joe Biden. (Pan: 2017)

Jennifer Hudson. 'Moan', o'r albwm JHUD (Medi 2014, RCA Records).

Louis Tomlinson. 'Louis Tomlinson on why he's done being sad, what inspired his second album, and his new London gig'. Telegraph, 24 Tachwedd 2020. https://www.telegraph.co.uk/music/artists/louis-tomlinson-done-sad-inspired-second-album-new-london-gig, cyrchwyd 23 Ionawr 2023.

Tom Daley. 'How meditation made me a better diver.' Olympics.com, 19 Mai 2019. https://olympics.com/en/news/tom-daley-meditation-key-to-dream-olympic-gold-at-tokyo-2020, cyrchwyd 23 Ionawr 2023.

Gemma Gibson a Beryl Gibson. 'London 2012 Olympics: Judo silver medallist Gemma Gibbons — Live on the BBC? I can't, my hair's a mess.' *Evening Standard*, 3 Awst 2012. https://www.standard.co.uk/sport/sport-olympics/london-2012-olympics-judo-silver-medallist-gemma-gibbons-live-on-the-bbc-i-can-t-my-hair-s-a- mess-8004970.html, cyrchwyd 23 Ionawr 2023.

NODYN I RIENI/OEDOLION

Er i mi ysgrifennu'r llyfr hwn yn benodol ar gyfer cynulleidfa iau, rwy'n gobeithio hefyd y gall eich helpu chi – yr oedolion yn eu bywydau sy'n poeni amdanyn nhw. Yn ogystal ag ymdopi â'ch galar eich hun ar hyn o bryd, rydych chi hefyd yn ceisio sefydlogi bywyd teuluol. Mae'r cynhesrwydd a'r ffiniau rydych chi'n eu darparu ar gyfer plentyn wedi digwyddiad mor enbyd, yn amhrisiadwy. Ond cofiwch fod yn garedig wrthych chi'ch hun. Mae'n ddigon posib na chewch chi bopeth yn iawn bob tro, ond y gwir amdani yw nad oes y fath beth â llwybr 'cywir'. Gobeithio y bydd y llyfr hwn yn gymorth i chi ddod o hyd i lwybr sy'n caniatáu i chi barchu'r gwahanol ffyrdd o alaru a chynnal rhyw ymdeimlad o agosatrwydd teuluol.

ADNODDAU

Isod, mae rhestr o adnoddau ychwanegol a allai fod o ddiddordeb. Mae'r llyfrau byr, addysgiadol hyn yn cynnig cipolwg gwerthfawr i oedolion sy'n cefnogi plant. Maen nhw i gyd ar gael drwy Winston's Wish ar https://www.winstonswish.org/supporting-you/publications-resources.

A Child's Grief Cyngor i oedolion sy'n cefnogi plentyn pan mae rhywun wedi marw

Never Too Young to Grieve Canllawiau penodol ar gyfer cefnogi plant dan bum mlwydd oed wedi marwolaeth rhiant neu ofalwr

You Just Don't Understand Canllawiau ar gefnogi anghenion unigol pobl ifanc yn eu harddegau mewn profedigaeth

We All Grieve Cefnogi plant sydd ag anghenion addysgol arbennig ac anableddau

Beyond the Rough Rock Cyngor ymarferol i deuluoedd yn y dyddiau a'r wythnosau sy'n dilyn marwolaeth drwy hunanladdiad

Hope Beyond the Headlines Cymorth a chyngor ar gefnogi plentyn sy'n delio â phrofedigaeth yn sgil llofruddiaeth neu ddynladdiad

The Family Has Been Informed Cefnogi plant a phobl ifanc o deuluoedd milwrol sy'n galaru

As Big as it Gets Syniadau ar sut i gefnogi plentyn pan fydd rhywun yn ddifrifol wael

WAY – Widowed and Young

Dyma'r unig elusen genedlaethol yn y DU i ddynion a menywod sy'n 50 oed neu'n iau pan maen nhw'n colli partner. Mae'r elusen yn darparu cefnogaeth gan gyfoedion i wŷr a gwragedd ifanc gweddw – yn briod ai peidio, â phlant neu heb blant, beth bynnag yw eu cyfeiriadedd rhywiol – i addasu i fywyd ar ôl marwolaeth partner. www.widowedandyoung.org.uk. Mae gan yr elusen sawl llyfr sydd wedi bod o fudd i'w haelodau: https://www.widowedandyoung.org.uk/bereavement-support/useful-links/books-on-bereavement.

The Compassionate Friends

Mae aelodau'r grŵp wedi colli plentyn neu blant, o oedrannau gwahanol a thrwy achosion gwahanol. Yn aml, mae pobl sydd wedi dioddef colled fel hyn yn teimlo cwlwm gydag eraill yn yr un sefyllfa ac yn dymuno estyn llaw fel arwydd o gyfeillgarwch. https://www.tcf.org.uk/content/helpline.

DIOLCHIADAU

Annwyl Mam,

Os ydw i'n mynd i ddiolch i unrhyw un am allu ysgrifennu llyfr ar y pwnc yma — ti yw honno, wrth reswm. Erbyn hyn, mae pedair blynedd ers i ti farw ac yn aml wrth i fi ysgrifennu, rwy wedi sylwi ar fy hun yn meddwl — tybed a fyddai *Byddi Di'n Iawn* wedi dy helpu di pan gollaist ti dy chwaer a phedair blynedd yn ddiweddarach pan gollaist ti dy fam, yn ddim ond 12 oed? A fyddai ei ddarllen wedi helpu dy dad hefyd? Drwy gydol fy mywyd, roeddwn i'n ymwybodol o gysgod y golled dros dy fywyd — rwy'n gwybod iddi adael bwlch mawr. Roedd gen i ddiddordeb bob amser i gyfarfod ag oedolion sydd wedi dioddef profedigaeth yn ystod plentyndod, a cheisio sylwi ar beth oedd wedi eu helpu i fod yn gryf ac yn obeithiol. Fe wnaeth llawer ohonyn nhw gynnig sylwadau anhygoel o graff wrth i fi ysgrifennu'r llyfr hwn.

Un o'r criw rhyfeddol hwn oedd fy ffrind da David Scotland. Fe wnaeth David a chyfaill gwych arall, Peter Thompson, ddal fy llaw ar y prosiect ysgrifennu hwn o'r dechrau'n deg. Hyd yn oed pan oedd y geiriau a'r gramadeg yn drwsgl ac ymhell o fod yn barod, roedden nhw'n gefnogol i'r weledigaeth ac yn fy helpu i gredu fy mod i'n mynd i allu cyflawni'r gwaith. Fydda i byth yn gallu diolch digon iddyn nhw a ffrindiau ffyddlon a deallus eraill — Ali, Anthony, Becca, Carol, Di, Helena, Jo, John, Jackie, Janet, Kate, Katherine, Kath, Marilyn, Sam, Sue a Zoe — am ddarllen fy ngwaith pan oedd yn wirioneddol flêr, ac am ddod o hyd i rywbeth cadarnhaol i'w ddweud wrth ychwanegu safbwyntiau personol a phroffesiynol mor bwysig.

O'r cychwyn cyntaf, roedd siarad plaen a chefnogol Laura a Sadie, y golygyddion gwych yn Hachette, yn cyd-fynd yn llwyr â'r hyn y mae plant a rhieni wedi'i ddysgu i mi dros y blynyddoedd. Daeth y dylunwyr talentog Kat a Laura â'r llyfr yn fyw â'u hud a lledrith dylunio arbennig iawn. Rwy'n cofio unwaith i chi sôn am hen ddywediad Gwyddelig, eich bod chi'n cwrdd â phobl ar hap ar yr union adeg iawn. Roedd hyn yn sicr yn wir am Laurène, y ddarlunwraig wych o Ffrainc (dim ond wedyn y dysgon ni iddi hi golli ei thad yn sydyn pan oedd hi'n ddwy oed). Rhowch eiriau a lluniau i dristwch, ac mae ymdopi â thristwch yn teimlo'n haws o lawer, rywsut. Roedd yn bleser gweld sut roedd y tîm cyfan yn Hachette yn poeni cymaint am brofiad y plentyn wrth ddarllen eu llyfrau.

Wrth gwrs, mae'r diolchiadau olaf i'r rhai rydyn ni'n eu caru, doed a ddelo. Dy wyrion a'th wyresau gwych — Katie, mor naturiol greadigol, anogol a chymdeithasol ddoeth. Ei hefaill a'i brawd ystyriol, Matt — roedd ei gariad gwirioneddol at lyfrau yn ei wneud yn bartner meddwl gwych ac annisgwyl braidd. Diolch, Matt, am fy achub i yn ystod ambell eiliad wan yn y llyfr. A Conor, fy mab hynaf — dy ŵyr cyntaf, cariadus, parod ei wên, wastad gerllaw. Dawnus gyda rhifau yn hytrach na geiriau — yn union fel ei dad. Ie, Ronan — rwy'n meddwl iddo dy synnu di â'i haelioni di-ben-draw parhaus tuag ataf fi a fy 'mhrosiectau'. Dyn da, hwyliog, doeth a hynod garedig. Bu farw nain Ronan, yn fuan ar ôl geni ei fam, Mary, ac yn nyddiau cynnar Winston's Wish, cadwodd Mary gofnod ysgrifenedig o bob plentyn roedden ni'n ei weld fel na fyddai'r un ohonyn nhw byth yn cael ei anghofio.

Ac yn olaf, fy nhad. Rwy mor falch bod yr acwariwm piano wedi cyrraedd fersiwn derfynol y llyfr — byddet ti wedi gwirioni. Gŵr enwog am ei straeon, ei brosiectau a'i lysenwau hir ('Julie Anne, bara a jam, marmalêd a thriog!'). Gobeithio dy fod ti a Dad bellach gyda'ch gilydd eto, ac y bydd yn gysur i ti wybod bod plant y genhedlaeth hon yn gallu llywio drwy stormydd galar ychydig yn haws na phan oeddet ti'n ifanc.

Cariad, Julie Anne x

Hefyd ar gael oddi wrth Rily ...

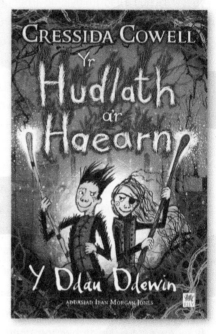

ROALD DAHL

BILI A'R MINPINNAU

Darluniwyd gan Quentin Blake

ROALD DAHL

CHARLIE A'R FFATRI SIOCLED

Darluniwyd gan Quentin Blake

ROALD DAHL

CHARLIE A'R ESGYNNYDD MAWR GWYDR

Darluniwyd gan Quentin Blake

ROALD DAHL

YR CMM

Darluniwyd gan Quentin Blake

ROALD DAHL

Y CROCODEIL ANFERTHOL

Darluniwyd gan Quentin Blake

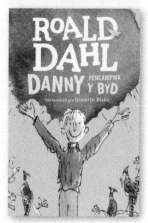

ROALD DAHL

DANNY PENCAMPWR Y BYD

Darluniwyd gan Quentin Blake

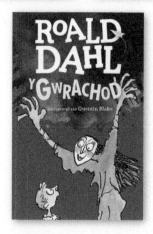

ROALD DAHL

Y GWRACHOD

Darluniwyd gan Quentin Blake

ROALD DAHL

JAMES A'R EIRINEN WLANOG ENFAWR

Darluniwyd gan Quentin Blake

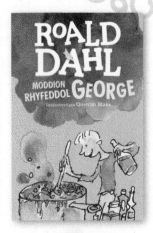

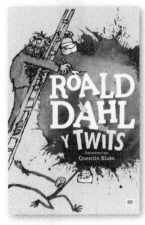

rily.co.uk